그리하여 화살은 날아가고

그리하여 화살은 날아가고
So the Arrow Flies

에스터 채 지음
장수혜 옮김

도서출판 ┃동인

제게 생명을 주시고
많은 이야기를 전해주신
엄마, 아빠께 감사드립니다.

추천의 글

아시아계 미국인의 문학에서 '정체성'에 대한 이슈를 논한다는 건 이제는 예상되는, 너무 뻔하게 들릴지도 모르는 주제다. 물론 '나는 누구인가'에 대한 질문은 때와 장소를 불문하고 지구에 사는 모든 인류가 가지는 보편적인 의문점이기는 하다. 그러나 정체성에 관한 질문을 필자를 포함한 아시아계 미국인 작가들이 자주 다루는 이유는 미국 사회에서 '끊임없이 외국인'으로 간주되는 점 때문이기도 하다. 우리의 조상들은 이미 몇 백 년 전에 미국이란 나라에 이주했을지언정, 우리는 아직도 "영어를 참 잘하는군요!" 같은 말을 듣곤 한다. 아시아계 미국인이라면 대부분 이런 질문을 받는다, "어디서 왔나요?" 이어서 들려오는 말은, "아니, 진짜로 어디서 왔나요?" 이 나라에서 겪는 경험들은 아직도 우리를 아슬아슬하게 정체성의 경계에 세운다. 난 '정체성에 대한 희곡을 좀 더 새롭게 쓸 방법은 없을까?' 하고 가끔 고민에 빠지곤 한다.

다행히 에스터 채는 이 주제에 관하여 가장 신선하고, 도전적이면서 심도 있는 이야기를 만들어냈다. 처음 에스터를 만난 건 내 연극, <옐로우 페이스>에서 재능 많고 똑 부러진 배우로서였다. 그 당시 에스터는 본인이 극작하고 있는 일인극의 초본을 보여주었고, 그녀의 글을 읽고 난 뒤, 나는 흥분을 감출 수 없었다. 한국계 미국인 FBI 요원 박지영이 또 다른 박 씨인 북한 스파이 용의자 캐서린 박에 대한 심문을 중심으로, 이 희곡 속의 인물들은 그들의 정체성을 숨김과 동시에 자신의 실존을 찾고자 한다. 또 이 극은 수차례의 성형수술로 모습을 바꾼 전 북한의 유명배우이자 현재 북한 스파이 용의자인 캐서린 박의 이야기를 통해, 한 인물의 내면과 외면의 갈등을 심도 있게 파헤친다. 서로 연결된 다면적인 스토리라인들은 각 사회와 정부가 그들의 국경 내에서 또는 외부세계에 비춰지는 그들 국가의 이미지를 어떻게 조종하려는지에 대해 더욱 깊게 파고들어간다. 에스터는 단순히 의자 하나를 돌려 다양한 인물로 변신하는 일인극이라는 형태로 작품의 완성도를 높인다.

한미관계는 50년 이상 민감한 상태로 유지되어 왔다. 에스터는 이 두 나라가 상호작용하는 해체적, 탈근대적인 현실의 에센스를 극에 사로잡았다. 이런 초현실적인 관계는 두 엄마와 그 딸 사이의 복잡한 관계로도 반영된다. <그리하여 화살은 날아가고>는 명백하고 지적인 논리, 그리고 따뜻한 가슴으로 이런 여러 가닥의 조사를 요령 있게 제시한다. 오리건 주에서 태어나 대한민국에서 성장한 에스터는 아시아인과 아시아계 미국인들의 정체성뿐 아니라, 한미관계를 넘어선 국제관계와 계속 변화하고 있는 현 디지털 시대의 정체성을 대변하는 중요한 작품을 창조해냈다.

정체성에 대한 희곡을 새롭게 쓸 방법이 있을까? 에스터 채는 우리 시대의 실제성을 탐구하는 야심차고도 눈부신 이 작품을 선보이며 '분명히 있다'라고 답해준다.

뉴욕, 브루클린에서
데이비드 헨리 황

---

* 데이비드 헨리 황은 희곡 〈M. BUTTERFLY〉, 〈CHINGLIGH〉, 〈YELLOW FACE〉 등을 쓴 극작가이며 뮤지컬 〈AIDA〉, 디즈니 〈TARZAN〉 등의 오페라 작사가(리브레토)이다. 토니 어워즈 수상자이자 퓰리처상 후보에 오른 미국 문화계의 살아있는 거장이다.

자은이의 글

이른 비행이었다. — 정확히 오전 여섯 시 반. JFK 공항에서 제트블루 85 비행기가 이륙하자마자 나는 편안하게 의자를 뒤로 젖히고 금세 잠이 들었다. 무엇이 나를 깨웠는지는 기억할 수 없지만, 나는 어깨를 긴장한 채 혼란스러워하며 눈을 떴다. 왼쪽 복도 건너편에서는 한 흑인남성이 그 당시 새로 비행기에 도입된 항공기 스크린의 TV 생중계를 뚫어져라 바라보고 있다. 나도 서둘러서 내 앞의 스크린을 켰다. 바로 거기서 난 모든 것을 목격했다.

2001년 9월 11일, 뉴욕에서 LA로 건너가는 비행기 안에서 나는 두 번째 월드트레이드타워가 검은 연기를 내뿜는 처참한 모습을 지켜보았다. 뉴스 앵커는 이 장면이 영화가 아닌 실제 상황임을 계속해서 반복했다. 비행기는 캔자스시티에 비상착륙했다. 그리고 나는 한 나이든 남성이 (복도 건너편에 그 흑인 아저씨였나?) 조용히 내뱉는 말을 들었다. "테러리스트가 우리같이 생기지 않아서 천만다행이군…" 그럼, 테러리스트가 정말 우리같이 생겼더라면? 아니, 나같이 순진해 보이는 아시아 여자였더라면? 내가 초등학생이던 1985년에 115명의 생명을 앗아간 대한항공858 폭파범, 김현희 같은 북한 폭파범이었다면? 나중에 깨닫게 된 사실이지만 이런 순간에서 이 연극의 북한 스파이 용의자 '캐서린 박'이라는 캐릭터가 기인했다. 그리고 늘 스파이 이야기에 관심을 가지고 있었던 이유도 있었다. 나는 이따금 '내가 스파이였다면 잘 해냈을까?'라는 생각을 하면서 언젠가 CIA가 나를 채용하려 할지도 모른다는 말도 안 되는 걱정을 하기도 했다.

그 당시 나는 '그냥 LA가 어떤지 보려는 것일 뿐이야'라는 생각으로 뉴욕에서의 배우생활을 잠시 떠나 LA행 비행기에 올랐지만, 충격에 빠져있는 뉴욕 도시를 보면서 다시 그곳으로 돌아가는 것이 나에게 무의미해져버렸다.

이렇게 LA에서 생활한 지 몇 해가 지난 2005년, 나는 가슴 뛰는 초대장을 받았다. 피바디 어워드(Peabody Award)에 빛나는 배우이자 작가인 로저 궨버 스미스(Roger Guenveur Smith)가 마크 테이퍼 포럼 극단(Mark Taper Forum)에서 단막 일인극(solo performance)을 만들기 위해 6명의 작가 겸 배우들을 초청한 것이었다. (안타깝게도 지금은 유색인종 예술가에게 이런 기회가 잘 주어지지 않는다.) 예일드라마스쿨 대학원 재학시절, 로저의 작품 <휴이 피 뉴턴 스토리>(*Huey P. Newton Story*)의 객석안내원으로 일했을 때부터 나는 그의 작품들을 존경해왔다. 나는 로저와 함께 나의 작품을 개발하며 재능 많은 동료들을 만나 협업하게 된 이런 드문 기회가 주어짐에 감사했다.

이 워크숍에서 만들어진 <그리하여 화살은 날아가고>는 원래 한국인과 미국인의 혼혈아인 미나, 미나의 엄마이자 북한 스파이 용의자인 캐서린, 그리고 FBI 요원인 박지영. 이렇게 3명의 등장인물로 구성되었었다. 이 짧은 연극은 미나가 FBI 요원들에게 문을 열어주자, 갑자기 그들이 집에 쳐들어와 미나의 엄마를 끌고 가는 극의 정점에서 끝난다. 나는 등장인물들에 대해 깊은 애착을 느낀다. 그들은 심오하고 복잡하며 현대적인, 할리우드나 대중적인 연극무대에서 웬만해선 볼 수 없는 아시아 여성 캐릭터들이기 때문이다. 그 당시 나는 "이 15분극을 조금 더 길게 늘려봐야지"라고 다짐했지만 몇 년이 지나기까지 그 목표를 실행하지 못했다.

차마 나에게는 생기지 않았으면 하는 일들이 있다. 며칠 전까지 나와 이야기를 잘 나누셨던 엄마가 바닥에 의식을 잃은 상태로 발견되었다는 전화였다. 엄마는 5일 동안 정신을 차리지 못하셨고 뇌의 일부분이 서서히 죽어가고 있다고 했다. 미국 병원의 의사들은 마땅한 원인을 찾아내지 못했다. 가족은 모두 응급상태였다. 우리 집 거실은 마치 대통령선거 사무실이라도 된 것 마냥 하얀 종이가 이리저리 널브러져 있었고, 우리는 모두 각자 전화기에 대고 소리치며 엄마를 살려낼 길을 찾았다. 아빠는 한국에 계신 전염병 전문의사인 김상철 박사님께 연락을 취했다. 박사님은 엄마의 증상을 듣고 난 뒤, 만일 본인이 담당의사였다면 검사결과를 기다리는 편보다 당장 결핵 치료를 시작했을 거라 조언했다. 지금에 와서 한국 남북전쟁이 이렇게 끔찍하게도 우리 엄마를 괴롭히다니... 6·25전쟁을 겪은 사람이라면 누구나 결핵에 노출될 위험을 안고 살아야 했다. 대부분은 몸속에 비활성 상태로 숨어있지만 나이가 들어 면역력이 약해지는 때가 오면 병이 재발할 수 있다. 엄마의 상태는 특히나 더 희귀한 경우였다. 엄마는 결핵성 뇌수막염이라는 판정을 받았다.

하늘이... 이상했다.

LA의 하늘은 웬만해서 구름이 잘 끼지 않는데, 내가 응급실에서 나오던 그날 저녁은 마치 양떼들이 끝없이 줄지어 있는 것처럼 작은 뭉게구름이 핑크빛과 옅은 오렌지빛을 띤 채 머리 위에 둥둥 떠 있었다. 비가 왔었나? 아주 아름다웠다. '삶은 정말 이상하게도 파도치는구나.' 나는 이렇게 하늘을 우러러보며 깊은 슬픔에 잠겼다.

엄마의 병원을 이곳저곳으로 옮기며 정신적 스트레스가 깊었던 때, 나에게 두 가지 일이 일어났다. 첫째는, 작품의 네 번째 등장인물 박 여사를 창조한 것. 박 여사는 이 극의 서술자로 작용하며, 실제 엄마와 부모님의 미국 여정에 대한 헌정이다. 두 번째 일어난 일은 어느 늦은 저녁 때였다. 와인을 마시며 잠시 머리를 식히려고 코미디영화 <사고친 후에>(*Knocked Up*)를 보려던 대신, 채널을 돌리다가 교육채널 PBS에서 방영하는 <아부그라이브의 유령들>(*The Ghosts of Abu Ghraib*)이란 다큐멘터리를 예기치 않게 보게 되었다. 이 다큐에서 한 아랍 포로가 형제의 고문을 목격한 인터뷰를 보면서 나는 그때까지 참았던 스트레스와 엄마에 대한 슬픔으로 눈물을 멈출 수가 없었다.

　이런 일을 계기로 나는 삼일 동안 꼬박 부엌 테이블에 앉아 이 희곡을 쓰게 되었다. 박 여사와 그녀의 딸이자 FBI 요원인 박지영에 대한 흥미로운 이야기가 나오기 시작했다. 두 인물이 이민자 또는 차세대로서 미국이란 국가에서 사는 것에 대해 생각하기 시작했다. 그리고 그들의 각 시점에서 미국 사회에 적응하고 성공하기 위한 이민자들의 분투를 그려냈다. 글로벌화된 세계에서 민족의식이란 무엇이며 우리는 어떻게 방향을 잡아야 할까? 박 여사는 부시 정권하에 시작된 테러전쟁에 불만을 가진 의식 있는 시민으로 전쟁과 고문의 잔혹함을 폭로한다. 나는 이런 어려운 주제들을 관객들이 허구 속 인물들의 시적 경험에 비추어 조금 더 친밀하게 받아들일 수 있도록 표현하고 싶었다.

　다행스럽게도 우리 엄마(조인자 여사)는 잘 이겨내주셨다. 엄마는 아빠, 나, 남동생을 알아보시고 옛 기억을 그나마 고수한 편이지만 단기 기억은 하지 못하신다. 내 친구 미치는 이런 엄마의 상황을 잘 표현해줬다. 불교적 관점에서 엄마는 언제나 '현재의 순간'에 존재한다는 사실을... 병원을 방문하러 갈 때면 엄마는 언제나 행복한 미소를 띠며 나를 반겨주신다.

내는 내가 '비빔밥 백그라운드'인 것을 참 행운으로 여긴다. 한국과 미국에서 두 문화와 언어를 배우며 자라온 배경 덕분에 현재의 내가 형성되었다. 나의 고향은 맨발로 자유롭게 돌아다니며 블루베리를 맘껏 따먹을 수 있는 오리건 주 유진이라는 히피 대학도시이다. 그리고 밤샘공부를 해야 했던 엄격하고 끔찍했던 한국 고등학교 시절을 생존한 후, 고려대학교를 졸업할 때까지 대부분의 학창시절을 다이내믹한 대도시, 서울을 탐험하며 보냈다. 그리고 이 두 문화를 모두 수용한 채 나는 미국에서 예술가로서의 삶을 시작했다.

이런 배경덕분에 소녀시절 나를 사로잡는 이야기는 펄럭이는 드레스를 입고 성 안에 있는 아기자기한 서양 공주가 아니라 뮬란(화목란) 같이 전쟁터에서 싸우는 여전사 이야기였다. 이 연극의 제목, <그리하여 화살은 날아가고>(*So the Arrow Flies*)는 학생시절, 역사책에서 본 5세기 한국벽화 <수렵도>에서 파생되었다. 동양적인 아이디어와 겸비된 서양의 콘셉트를 연극에 표현하고 싶었다. 그리스어, '하마티아'(hamartia)는 "궁도에서 과녁을 놓치다"라고 직역되며 비극적 영웅의 치명적인 결함을 의미한다. 소녀 미나는 이 작품의 신화적 요소들을 상징한다. 미나는 그리스 비극신화의 하마티아를 설명하고 신체적 무용으로 표현함과 동시에, 극의 마지막 부분에서는 직접 활을 쏘는 기마족 전사가 되어 적과 투쟁한다.

그리하여 화살은 날아가고. 그러나 어디로?

캐서린과 박 요원, 두 인물은 바로 이 문제와 씨름해야 한다. 이들은 본인 자신이 택한 결정이 하마티아일지라도 그에 대한 책임을 져야 한다. 그것이 그들의 죽음을 불러올지라도...

<그리하여 화살은 날아가고>에 대한 나의 여정은 기대 밖이다. 나는 아시아계 여성들에게 조금 더 다이내믹한 역할들을 마련하는 데 기여한 점을 매우 기쁘게 생각한다. 이 작품이 한국어로 번역되어 나의 모국인 한국의 독자 및 관객들과 이 경험을 나눌 수 있게 되어 무척 감격스럽다.

　　이 작품이 또 다른 예술가들과 접견하여 또 다른 미디어 형태의 예술로서 재탄생하는 다음 여정을 기대한다.

　　나와 함께 특별한 모험을 해주어 감사하다.

캘리포니아, 산타모니카에서
에스터 채 (한글명: 채경주)

차례

일러두기

이 희곡은 아시아계 여성들을 위해 만들어졌다. 그러나 교육적 목적으로 학생들이 이 극을 공연하거나 장면 연기를 하고자 할 때 성별, 인종, 또는 이외의 요소들을 바꾸거나 재창조 할 수 있다. 예를 들어 이 희곡은 이탈리아의 <10월 밤의 축제>(*October Nights Festival*)와 마스터클래스 워크숍에서 소개되었는데, <그리하여 화살은 날아가고>의 장면들을 연기했던 학생들은 다양한 연령대와 배경을 가진 여러 남녀 학생들이었다. 학생들은 한국인이나 한국계 미국인이 아닌 이탈리아인으로 연기했다. 박 여사는 그란디 부인(Mrs. Grandi)으로 이름을 바꿔 FBI 요원으로 일하는 이탈리아계 미국인 아들을 걱정하는 어머니로 등장했으나, 인물의 의도와 서로에 대한 관계는 그대로 유지할 수 있었다.

그리하여 화살은 날아가고
So the Arrow Flies

〈그리하여 화살은 날아가고〉(*So the Arrow Flies*) | 모노드라마 | 연출, 극본, 출연: 에스터 채(채경주) | 공연시간: 약 85분
사진: 아사 마탯(Asa Mathat), 재러드 아사토(Jared Asato), 코키 리(Corky Lee)

등장인물

캐서린 박 북한 스파이 용의자, 30대 여성
박지영 FBI 요원, 한국계 미국인, 20대 여성
미나 화이트 캐서린 박의 딸, 혼혈아, 12살 여아
박 여사 박지영의 어머니, 미국이주민, 60대 여성

시간: 현재
장소: 박 여사의 거실, FBI 취조실, FBI 사무실,
     독방, 해외 수용소, 구천 혹은 연옥 세계

무대 위에는 작은 책상과 회전식 사무용 의자가 있다.
책상 위에는 녹음기, FBI 파일 한 개, 펜 한 자루, 물 한 잔이 놓여있다.

사진: 피정훈

장면 1

박 여사 / 거실

박 여사   (무대 밖에서) 그래, 지영아. 알았다~.

박 여사[1]입장한다. 활발한 성격의 60대 한국 이민자.

박 여사   안녕하세요! 아이고, 기다리게 해서 미안합니다. 우리 딸 지영이를 좀
              소개하려고 했는데, 글쎄 이 녀석이 방금 전화가 와서 퇴근이 늦어진다
              고 저녁 식사는 같이 못할 것 같다고 그러네요. 요즘 주말근무도 하고
              아주 열심이거든요, 엄청 중요한 북한 스파이 건을 맡고 있답니다. 글
              쎄. 내가 말씀 안 드렸나? 우리 딸은 **FBI** 요원이랍니다. F, B, I. 미,
              연방, 수사국! 캬! 이름부터 쿨하지 않아요?

---

1) 원작 연극에서 박 여사 캐릭터는 한국어 억양이 섞인 영어를 사용하나, 대학 교수 출신으로 그 구조와 내
   용은 결코 어눌하지 않습니다. 활발한 성격과 한국 교수 출신으로 공장에서 일한 이주 노동자라는 특징을
   감안해 내용은 있으되 가벼운 말투를 사용했습니다. 이하 역자 주.

제 이대 동창들은 지영이를 좀 무서워해요. 하루는 지영이가 바쁜지 겉옷도 안 걸치고 계단을 뛰어내려오는 바람에 옆구리에 총을 차고 있는 걸 봤거든요. 그랬더니 친구들이 "어머나! 지영이 총 갖고 다녀?" 물어보길래 내가 그랬죠. "아니 FBI 요원 아냐~ 총 갖고 다니지, 그럼 뭘 갖고 다니니, 바나나?"

(의자에 앉는다) 대체 뭘 그리 무서워하는지 모르겠어요. 총을 갖고 다녀서 그런가? 미국코쟁이들이랑 같이 일해서? 아직 결혼을 안 해서? 혹시나 레즈비언일까봐? 아니면 그 바보 같은 밤송이머리 때문에? 내 생각엔 바로 그 밤송이머리스타일 때문이라구요. 내가 항상 얘기하죠. "지영아! 티브이 드라마 <CSI>에 나오는 여자들 좀 봐라. 머리가 얼마나 이쁘니?" 하여튼 내 말은 듣질 않아요. 하지만 난 또 이해를 한답니다. 내 딸 지영이가 보통 예쁜 게 아니거든요. 그런 미인과 일하면 남자들이 집중을 못해요. 그러니까 좀 덜 꾸미고 튀지 않아야 하는 거죠. 무슨 말인지 알죠?

하지만 지영이가 눈에 띄지 않아야 하는 진짜 이유는 따로 있어요. 그 애가 하는 일이 나쁜 놈들을 감옥에 처넣는 일이잖아요. 그런데 가끔씩 그 사람들이 감옥에서 나오면 요원들한테 복수하러 찾아오는 경우가 있답니다. 지영이는 악당들이 찾아올 경우를 대비해서 범죄자들 얼굴사진을 카피해서 책상에 놓아두고는 자주자주 챙겨본답니다. (목소리를 낮춰서) 그래서 나도 몰래 지영이 방에 들어가서 그 카피를 또 카피했죠. 나도 한 사람, 한 사람 얼굴을 익히는 거죠. 눈은 무슨 색인지, 콧대는 얼마나 높은지, 턱선은 어떻게 생겼는지...

내가 눈치가 빠르거든요. 눈치. 아하, 영어에는 이 말이 없어서 참 불편하다니까. 그러니까... "아이~ 센스". (눈을 가리킨다) 주변을 살펴보고 일이 어떻게 돌아가는지를 잘 아는 눈의 감각. 난 이렇게 눈치가 빨라서, 만약 내가 사진에서 본 악당들을 보면, 딸애한테 전화를 하거나, 경찰에 신고를 하거나, 그 나쁜 놈들 주의를 흐트리거나, 뭐 어떤 수를 써야겠죠. 말하자면 내 딸을 지키는 제3의 비밀요원! 하, 여러분이 지금은 웃을지 모르겠지만, 아직 너무 어려서 이해 못하는 겁니다. 이런 게 다 엄마 마음이니까. 이게 바로 내가 딸을 위해 할 수 있는 일이니까요.

박 여사, 카디건을 벗어 의자에 놓는다. 의자를 무대 뒤쪽으로 돌리고 일어나 박 요원으로 변한다.

장면 2

FBI 요원 박지영 / FBI 취조실

박지영[2] FBI 요원. 20대 후반의 한국계 미국 여성. 녹음기를 켜자 여자가 북한 사투리로 남자에게 말하는 소리가 들린다.
녹음기 소리.

송 동무   박 동무 수고 많았습네다.

박 동무   아닙네다.

송 동무   동무가 준 비밀정보는 바로 상부기관에 보고했습네다.

박 동무   알았습네다.

송 동무   곧 검은나비에게 연락드리겠습니다.

박 동무   네.

---

2) 대본과 실제 원작 연극 모두에서 박지영 요원은 미국 남부 억양 (약간 구식이고 남성스러우며 딱딱하게 들리는 말투)를 사용합니다. 번역본에서는 한국어를 사용하므로 성격을 고려해 가급적 딱딱한 남성적 말투를 사용했습니다.

녹음기를 끈다.

박 요원 녹음된 내용 대부분은 북한 남성의 목소리지만, 지금 들린 여성의 목소리는 당신 같은데, Mrs. 화이트?

의자(캐서린)를 향해 말한다.

우리 워싱턴 정보국에서 당신이 작년 6월 12일 서울에 있을 때 한 이 대화를 녹취했어. 김 대통령 연회장 위치를 알아내기 위해서 건 전화 내용도 들었고, 당신을 친구라고 믿는 높은 나리들한테 꽃 배달을 시키려고 꽃집에 전화한 것도 전부 다 들었지. 아, 물론, 우리는 당신 같은 우리 쪽 정보원들 전화를 모두 추적하거나 도청하지는 않아. 그래서 이걸 듣고 깜짝 놀랐단 말이야. 아니, 도대체 왜 우리 정보통이 북한남자와 대화를 하고 있는 걸까.

이런 짓을 할 이유가 뭐지? 그리고, 당신을 친근하게 "박 동지"라고 부르는 이 남자, "송 동지"는 대체 누구지?

(비트) 여기에 대한 수사 협조는 우리말로 해주셔야겠는데요, Mrs. 화이트?

(파일을 집어 든다) 자... 당신의 다양한 이름들을 보자고, Mrs. 화이트. 본명 박승희, 1967년 북한 나진 출생. 중국에서도 박승희로 활동하다가 남한에 가서는 박혜경으로 이름 바꿈. 미국에 온 이후에 이민국에 등록하고 결혼 전까지 사용한 이름은 또 다른 캐서린 박. 미국에서는 성

이 뒤에 오니까. 그리고 이 녹음테이프에서는 당신을 "박 동지"라 부르고 또 암호명은 블랙 버터플라이, 검은 나비라고 부르는군. 그리고 이혼 후에는 남편 성을 계속 쓰면서 캐서린 화이트라는 이름을 썼고. 세상에, 당신 도대체 이름이 몇 개야? 다섯? (파일에서 이름을 세어본다) 어, 미안. 여섯 개. (비트) 이런, 나랑 똑같은 박 씨라니...

박 요원, 캐서린의 얼굴을 유심히 살핀다. 그러고는 그녀의 FBI 파일에서 지금의 얼굴과는 다른 캐서린의 흑백사진을 꺼내어 캐서린에게 보여준다. 사진에서 캐서린은 북한 제복과 모자를 쓰고 있는 모습이다. 무대 뒷벽에 박 요원이 들고 있는 사진과 동일한 사진이 비친다.

이름 수 만큼이나 얼굴도 여러 갠가? 당신이 북한 인민극장에서 '일호 배우'로 활동하던 시절에 찍은 사진을 찾아냈어. 그래, 난 당신이 평양에서 배우였다는 걸 알아냈단 말이야.

무대 뒤쪽으로 사진을 보이며 마치 FBI 취조실 창문의 동료들에게 말하듯 사진을 보여준다.

이봐, 어떻게 이렇게 중요한 걸 놓칠 수가 있는 거야?
자, 그럼. 이제 당신 성형수술 얘기부터 시작해볼까?

박 요원, 천천히 의자에 앉는다. 의자를 관객 쪽을 향해 돌리면서 캐서린으로 변한다.

장면 3

북한 스파이 캐서린 / FBI 취조실

캐서린,[3] 30대 후반의 북한 스파이 혐의자. 수갑을 찬 채로 다리를 꼬고 사진을 들고 앉아 있다. 미국 표준 영어와 남북한 한국말 방언을 모두 구사한다.

캐서린 와, 대단해. 애 많이 썼네. 아니 이건 또 어디서 찾았어, 그래. 저기 우리 물 좀 마시고 얘기하자구요. 뭐?

좋아. 영어로 말해야 물을 준다면 영어로 해주지. 당신이 북조선 말이나 남한 말을 둘 다 알아듣는다는 걸 알고 있지만 말이야. (박 요원을 위아래로 훑는다.) 젊은 한국계 미국인 여자가 **FBI** 요원이라... 재미있네. 같은 박씨, 우리 혹시 친척일지도 모르겠네.

캐서린, 손에 든 흑백사진을 본다.

---

3) 캐서린은 북한 출신이나 남북한 말투를 고루 사용하고 표준 영어를 구사합니다. 원작 연극의 한국어 대사에서는 남한 말을 사용하므로 특별한 경우를 제외하고 기본적인 어투는 남한으로 정했습니다. 다만, 고향이 북한이므로 남북한을 지칭할 때는 (북)조선, 남한으로 표기했습니다.

정말, 내가 봐도 김정숙이랑 똑같이 닮았었는걸. 성형수술은 언제 했 냐고? 몇 번째 수술 말이야? 내 얼굴은 당신 이빨 개수보다 더 자주 바뀌었다고.

사람들은 내가 김정일 장군님의 어머니인 김정숙 동지를 빼닮았다고 했지. 하지만 말이야, 진짜로 선전영화에서 조선인민의 어머니 역을 맡기 위해서는 그냥 닮은 것만으로는 안 돼. 진짜 김정숙이 되어야 했 지. 나는 조선민주주의인민공화국의 영광스러운 "일호배우"로 부름 받 았으니까.

캐서린. 사진을 무릎에 내려놓고 그녀의 얼굴에서 수술한 부분들을 가리키며.

독일 뮌헨의 질바우어 박사는 내 눈매, 이마 폭, 귀 크기가 김정일 장 군님의 어머니랑 일치한다고 했지만, 완벽하게 같으려면 여기저기 손 을 좀 봐야 했지. 콧구멍을 더 갸름하게 1.5밀리 올리고, 광대뼈도 좀 채워 넣고, 턱선은 날카롭게, 가슴은 더 작게. 아, 그리고 제일 중요한 부분. 내 목소리.

캐서린, 손짓을 한 채 북한의 선전가요 〈적기가〉를 부른다.

"높이 들어라 붉은 깃발을, 그 밑에서 굳게 맹세해!"

정말이지 끝내주는 일이었어. 〈태양은 영원히 빛난다〉에서 경애하 는 지도자의 어머니, 김정숙 동지의 젊은 시절을 연기할 때 내 나이는 겨우 열일곱이었거든. 후끈 달아오른 열정적인 공연, 환상적인 매스게

임, 온 경기장에 도배된 내 얼굴, 유럽이랑 러시아에서 수입해온 값비
싼 음식과 와인. 모두가 우리 일호배우들을 사랑했어. 그래야만 했지.
그게 그들의 의무였으니까.

캐서린, 무릎에서 사진을 집어 든다.

오늘은 모국의 어머니, 내일은 헌신했던 국가에 쫓겨 다니는 망명자.
하! 인생은 정말 웃기게 꼬인단 말이야. 안 그래, 박 요원?

캐서린, 사진을 바닥에 던진다.

자, 그럼 이제 내 딸 미나를 어떻게 했는지 말해.

장면 4

박 요원 / FBI 취조실

박 요원, 바닥에서 캐서린의 흑백사진을 집어 든다. 그러고는 책상으로 걸어가 FBI 파일을 연다.

박 요원　당신 딸은 안전해. 형식상 그냥 이것저것 물어보고 있을 뿐이야. 그보다 먼저 우리 얘기를 계속해볼까?

박 요원이 파일을 검토하면서 김일성 일가의 가계도가 무대 뒷벽에 비춰진다.

1994년, 제1대 독재자 김일성 사망. 그 아들 김정일로 체제이양. 그 후 조선인민의 어머니 축출. 아니지, 바로 당신, 조선인민의 어머니 김정숙 역을 연기하던 배우 축출. 제2대 독재자, 김정일이 아버지의 전 가계를 깨끗이 정리하고 자기만의 체제를 세우기 위한 계략이었지. 자, 이제 김정일도 죽었고, 이제는 그 아들 김정은이 북한 최고사령관이 되었다. 기가 막히는구만…

1994년, 바로 그 해에 당신은 중국과 북한 사이 국경 감시원으로 추방됐는데 거기서 도망쳤고, 우선 중국 본토로 들어가서 얼굴을 다시 한번 뜯어고쳤어. 그래야 사람들이 김정숙을 연기한 당신 얼굴을 알아보지 못할 테니까.

박 요원, 처음 꺼냈던 흑백사진과 또 다른 컬러 사진을 함께 꺼낸다. 그 사진 또한 캐서린의 예전 얼굴 중의 하나이다.

안 됐네. 꽤나 예쁜 얼굴이었는데. 그 중국 의사, 얼굴 뭉개는 기술 하나는 좋은데.

책상으로 돌아가 두 사진을 모두 FBI 파일에 넣는다.

당신은 다시 몽골로 도망쳤고, 그곳에서 한국대사관에 들어가는 데 성공해서 서울로 가게 됐지. 한국 신문에서는 이렇게 보도했더군. "조선인민의 어머니조차 고통스럽고 피폐한 삶을 견디지 못하다." 한국의 국정원은 아주 신나서 당신을 정보원으로 고용했고. 맞나?

박 요원, 책상에 놓여 있던 물잔을 들어 길게 한 모금을 마신다.

이틀 전 다코타 요원이 숨진 채 발견됐어. 바로 김정일 사망 직후에. 좀 이상하단 말이야. 왜 그런지 혹시 알고 있나?

박 요원, 즉시 미나로 변한다.

장면 5

미나 / 독방

미나,[4] 캐서린의 12세 딸로 한국인과 백인의 혼혈이다. 미나, 의자 뒤에서 함성을 지르며 뛰어다니고, 마치 전투를 재현하듯 무대 여러 곳을 향해 보이지 않는 화살을 겨눈다. 화살을 쏘며.

미나   퓽~ 퓽~ 퓽!

미나, 갑자기 가상의 화살들을 맞는다. 마지막 화살은 그녀의 심장에 꽂힌다. 휘청거리다가 의자에 털썩 주저앉아 죽어가며.

미나   "하... 하, 하마티아..."

미나, 의자에 축 늘어진다. 비트. 다시 일어나 묶은 머리를 매만지고는 '가상의 절친한 친구'와 대화하듯 관객을 향해 이야기를 시작한다.

---

4) 미나는 총명하고 발랄한 성격이나 결코 착하기만 한 어린아이는 아닙니다. 극중 인물 중에서 가장 욕설이 많은 캐릭터이기도 합니다. 굳이 일부러 표현을 순화하기보다는 가급적 적절한 단어를 찾아서 사용했습니다.

미나   바로 이렇게 했다니까! 그리스 비극 숙제 말이야. 아, 물론 쿠퍼 선생님도 완전히 뻑가서 A+를 주셨지. 이 그리스 비극 숙제를 리포트가 아닌 연극으로 표현해서 발표할 생각은 아무도 못했거든. 자, 봐. 그러니까 내가 온몸에 화살을 맞고 죽은 다음에, 아리스토텔레스의 시학(詩學)에 나오는 하마티아에 대해서 설명하는 거야.

하, 마, 티, 아. 이게 무슨 뜻인지 알아? 원래는 활쏘기에서 "과녁을 놓치다"라는 뜻인데, 그리스 비극에서는 영웅의 치명적인 실수, 결함 그런 뜻으로 쓰인대. 과녁을 하나 놓친 게 치명적인 실수가 되는 거지. 그런 건 보통 자만심 때문이야. 자만심은 뭔지 알지? 음... 그러니까 자만심은 자신감이 너무 많은 거야. 니가 뭐든지 할 수 있다고 생각하고, 다 니 맘대로 해도 된다고 생각하는 거. 그리고 자만심이 너무 넘치면, 또라이가 되는 거라구. 마이클 림보처럼.[5] 그 자식은 지 아빠가 국회의 원인가 뭔가가 된다면서 아주 잘난 척 하지만, 우리 반 애들은 전부 그 자식을 완전 싫어하잖아. 또라이니까. 또~라~이. (춤을 춘다) 선생님들도 걜 싫어한다니까. 진짜야.

미나, 책상 쪽으로 걸어오며 박 요원으로 변한다. 박 요원, 책상에 놓인 메모를 읽은 후 파일을 집어 들고, 책상 밖으로 돌아 무대 앞쪽 중앙으로 걸어와 상사의 사무실에 들어선다.

---

5) 미국의 보수주의 정치평론가 Rush Limbaugh의 성을 따옴. 또는 현재 미국 공화당의 다른 맹목적 우익 정치인의 성을 붙여도 된다.

장면 6

박 요원 / FBI 사무실

박 요원　네, 과장님. 저희가 캐서린한테 암호명 검은나비로 북한에 제한된 정보를 주라고 한 것은 맞습니다. 하지만 그 기밀문서를 전부 넘겨주기로 한 것은 아닙니다. 아니, 핵 프로그램에 종사하는 연구진 이름과 얼굴이 담긴 서류를 줬다는 게 말이 안 되죠. 그리고 캐서린이 유출한 사진 중에 다코타 요원의 환갑 파티 때 사진도 들어있습니다. 과장님을 비롯해서 FBI 핵심 요원의 얼굴들이 다 찍힌 사진 말입니다. 기억하실지 모르겠습니다만, 그 사진을 찍은 건 캐서린의 딸 미나였습니다. 순진한 꼬마아이가 가족사진을 찍는 것처럼 보이게 한 거죠.

제 생각에는 캐서린과 다코타 요원이 연인 사이가 된 것이 북한 측에서 다코타 요원을 살해한 주원인인 것 같습니다. 하지만 그런 명령이 새 정권하에서 내려진 것인지는 잘 모르겠습니다. 그렇게까지 빨리 움직이지는 못했을 것 같은데 말입니다.

과장님, 캐서린의 딸은 집으로 돌려보냈습니까? 네? 하지만 미성년자를 그런 식으로 심문하는 것은 위법일 텐데요. 자칫하면 큰 문제가 될지도 모릅니다. 시간이 없는 건 알고 있습니다만, 지금 녹음테이프를 듣고 정보를 캐내는 작업은 저 혼자 하고 있잖습니까. 서울, 평양, 워싱턴에서 녹음된 것만 해도 200시간 분량이 넘습니다.

CIA요? 아니, 그 작자들이 원하는 게 뭐죠?

박 요원, 책상으로 돌아가 파일을 던진다. 의자에 걸린 카디건을 집어 들고 어깨에 걸치고는 박 여사로 변한다.

장면 7

박 여사 / 거실

박 여사 난 우리 딸 지영이가 너무 너무 자랑스럽죠. 그 애는 FBI 최연소 여성 요원 중 하나랍니다. 우리 딸이 미국 정부를 위해서 일한다니 엄청나죠? 우리 같은 이민자들이 미국 사회의 진정한 일원이 되는 건 바로 '영어'로 이 나라를 대표할 수 있게 되는 순간이거든요. 제가 잘 알죠. 제가 이래뵈도 한국에서 언어학 교수였거든요.

내 말은 과학자나 엔지니어나 의사 말고, 변호사 같은 직업이요. 재판에서 이기려면 쉴 새 없이 이야기하고 멋들어진 주장을 펴야 하잖아요. 아니면 배우. 아니 아니, 대사 한 마디 없는 엑스트라 말고 가슴을 울리는 멋진 캐릭터를 연기하는 그런 배우요. 음, 이름이 뭐더라... 아, 조안 첸! <마지막 황제>에서 참 연기 잘 했잖아요. 어쩜 그렇게 내 가슴을 울리는지. 한국인이 아니라 중국인이지만, 괜찮아요.

그게 아니면 FBI 요원. 수많은 사람들과 대화를 하면서 '나는 미국을 대표하고 있다'라는 확신을 줘야 그 사람들이 중요한 정보를 줄 것 아니겠어요. 그러니까 외국인 같은 악센트가 있거나 완전 미국인처럼 행동하지 않으면 FBI 요원이 될 수 없다고 생각해요. 우리는 예전에 조지아 주에 살아서 지영이가 좀 독특한 남부 악센트가 있기는 하지만 그건 미국사람처럼 들리니까 문제가 없죠. 무슨 말인지 아시죠?

(의자에 앉는다) 아, 그 악센트에 대해서 재미있는 얘기 하나 해드릴까? 지영이가 버지니아 주에 있는 FBI 훈련소에서 교육 받을 때, 사격 교관이 한국사람이었대요. 그 교관이 영어가 좀 서투른데, 흥분하면 더 심해졌다네요. 어느 날 훈련생들이 사격 연습을 하고 있었는데, 저 멀리 있던 마네킹이 급하게 다가오니까 지영이가 겁먹고 완전 얼어붙어서 총을 못 쏘고 있었더래요. 그래서 그 한국인 교관이 "지영, 뭐 하는 거야! 쓰로 요 건(throw your gun), 총을 던져!"라고 외쳤대요. 그러니까 지영이가 완전 헷갈려서 권총을 빼서는 마네킹에 던져버렸대요. 근데, 사실 그 교관은 "총을 뽑아!" 영어로 "드러우 유어 건(draw your gun)!"이라고 말한 거죠. 드, 러, 우. 에그, 바보 같은 녀석. 그래도 알아들었어야지. 세상에 총을 왜 집어던지겠어요?

나도 내 영어에 한국 악센트가 있다는 건 알아요. 그래도 난 영어가 꽤 유창한 편이에요. 영어로 시도 쓰구요. 아마 대부분의 미국인보다 영어를 더 잘 쓸걸요? 하지만 걔네들은 그걸 잘 몰라요. 나만 보면 "어머, 귀여워, 동글동글하네, 웃기네, 말투가 참 웃겨"라고 하지요. 제가 무슨 말을 하든 선소리로 생각한다니까요. 선소리. 쓸데없는 잡담이요. 스털틸로퀴(stutiloquy). 이런 말은 모르셨죠? 그쵸?

(손목시계를 본다) 아, 얘기가 길어졌네요. 지영이는 못 온다고 했으니 기다리지 말고 저녁이나 먹읍시다.

박 여사, 앉은 채 무대 뒤쪽으로 의자를 밀면서 동시에 카디건을 의자등받이에 벗으며 미나로 변한다.

장면 8

미나 / 독방

미나   으, 배고파. 사람을 데려다 놨으면 밥을 줘야 할 거 아니야? 피자...면
            좋겠는데.

미나, 초조해하며 관중석방향의 '유치장 문'을 엿본다. 유치장 안을 돌아다니며 '가상의 친
구'에게 다시 말을 건다.

      어, 엄마는 집에 계신데... (짐짓) 몸이 별로 안 좋아서 누워 계셔. 우리
      엄만 너희 엄마처럼 요리 잘 못하는 거 알잖아. 그래, 요리 못하는 동
      양 엄마는 울 엄마뿐일 거야. 휴, 이게 뭐야.

의자등받이를 앞으로 돌려 거꾸로 앉는다.

      근데 웃긴 게 뭔지 알아? 울 엄마 성격이 되게 세거든. 그래서 아빠
      랑 이혼할 때도 하나도 안 꿀렸어. 또 엄마를 무시하는 사람들은 끝
      까지 말로 싸워서 이겨버리거든. 그래 놓고 나한테는 항상 내가 엄마

를 잘 돌봐야 한다고 하셔. 웃기지? 나는 엄마를 지키는 전사라나? 왜냐하면 난 아무도 엄마를 건드리지 못하게 보호해드리거든. 왜냐면... 난 다 알아. 우리 엄마는 세계 평화를 위해서 아주~아주 중요한 일을 하는 고위급 대사거든. 그거, 아주 위험한 일인 거 알지? 게다가 사람들은 여자, 특히 유색인종에다가 똑똑하고 예쁘기까지 한 여자를 싫어한다구. 위기감을 느끼는 거지. 오프라 윈프리가 티브이에서 그랬어. 그게 바로 우리 엄마라니까. 너랑 나랑도 나중에 크면 그렇게 되는 거야.

의자에서 일어난다.

야, 당연히 나도 포함되는 얘기지. 혼혈이라고 난 다른 줄 알아? 특징 있고 개성 있는 유색인종이 맹물 같은 백인 피보다 세다는 거 몰라?

알아... 내 이름이 미나 화이트라는 거. (앉는다) 나랑 진짜 안 어울리는 바보 같은 성이야. 18살이 되면 무조건 이름을 미나 박으로 바꿀 거야. 넌 아마 모를 텐데, 미나라는 이름은 영어 이름으로만 들리지만 사실 한국말로도 아주 아주 깊은 뜻이 있다구. 엄마가 그러는데 미, 나—

허공에 대고 '미나'라고 한글로 쓴다. 동시에 한글/중문 글자가 애니메이션으로 벽에 비친다.[6]

—라고 하면 중국 글자로 "예쁘고 아름답다"는 뜻이래. 멋지지 않냐? 흠, 한국 이름에 왜 중국어로 뜻을 다는지는 잘 모르겠어. 우린 중국

---

6) 美娜

사람이 아닌데. 엄마가 일어나면 물어봐야겠다. 하지만 지금은 엄마
가 긴~ 여행 끝에 집에 돌아온 참이니까, 그냥 주무시게 놔둬야 해.

미나, 휴식을 취하는 것처럼 눈을 감고 캐서린으로 변한다.

장면 9

캐서린 / FBI 취조실

캐서린   당신 한 번이라도 배고파 본 적 있나? 그러니까, 진짜로 굶어 죽을 것 같은 느낌말이야. 고위급 관리직에서 배급이나 타 먹는 국경 감시원 꼴이 되다니. 난 정말로 보통 인민들이 이렇게 사는지 몰랐어. 사상 최악의 기근이 북한을 덮친 뒤로는 훨씬 심각해졌지.

내가 아직까지 살아있는 건 그 사람 덕분이야. 일호배우 시절에 당에서 짝지어준 북한 남편. 고맙게도 아주 좋은 사람이었어. 얼음장처럼 차가운 두만강을 헤엄쳐 넘어와서는 도망치라고 말해줬지. 내가 남한 사람들이랑 어울린 죄로 기소되었다면서. 하지만 국경으로 날 추방한 건 북조선이었고, 내가 상대하던 사람들은 남한이 아니라 중국인들이었다고. 대체 왜 누명을 씌우려 한 걸까? 뭔가 잘못된 거 아냐? 경애하는 지도자 김정일 동지의 어머니를 연기한 난 일호배우였다고. 북조선에 아무 잘못도 하지 않았어. 하지만 결국 나는 저 멀리 중국 본토로 도망쳐야 했어. 거기서 기다리고, 또 기다렸지. 하지만 남편한테서 집으로 돌아오라는 연락은 끝까지 오지 않더군. (비트) 그 사람 이름을 가르쳐줄 수야 있지만, 아마 벌써 처형당했을 거야.

처음 미국에 왔을 때 난 매일 아침드라마만 봤어. <가이딩 라이트>, <제너럴 호스피탈>. 누구를 사랑할지 본인이 선택하고, 누구와 결혼할지 스스로 선택한다는 개념. 난 당신이 좋아, 난 그를 사랑해. "나, 나, 나." 우리란 개념은 없고 전부 *나*뿐이더군. 그래서 내 전 남편, 프랭크 화이트에게 드라마에서 배운 걸 써봤더니, 그게 먹히더라구! 물론, 내가 그와 결혼한 건 미국시민권을 얻기 위한 거였지만, 어쨌든 우리는 아이도 가졌고, 그럭저럭 결혼생활을 같이 잘 해나갔지.

(비트) 아주 똑똑한 아이지, 내 딸 미나 말이야. 똑부러지고, 명랑하고. 겨우 열두 살인데 벌써 나만큼이나 키도 크다고. 그치만 우리 딸은 정말 아무 것도 아는 게 없어. 그 애를 어디로 데려갔는지 당신 정말 몰라?

당신은 한 번도 사랑을 해본 적이 없을 거야. 그렇지, 박 요원? 그래, 어쩌면 사랑이라는 게 당신한테는 어려울지도 모르겠어. 남자 같은 버릇, 헝클어진 커트머리에 저음의 목소리. 그 이상한 남부 악센트며. 남자들은 그런 걸 좋아하지 않지. 당신네 FBI 동료들이 쬐그만 동양 여자가 백인 남자처럼 행동한다고 정말로 당신을 더 진지하게 대해주나? 다코타 요원은 내가 우아하고 여성스럽게 행동했기 때문에 날 믿고 동등하게 대해준 거라고. 당신, 외모에 좀 신경 쓰셔야겠어.

내가 순전히 그를 이용한 거라고 생각하고 있는 것 같은데, 다코타 요원과 나는 진심으로 서로를 사랑했고, 서로를 이해하고 있었어. 그에게 난 남한과 북한에 대한 진짜 정보를 줄 수 있는 유일한 정보원이었고, 나에게 그는 연인이자 친구였지. 내가 북한 쪽을 만나고 돌아오는 길에 붙잡혔다고 나를 간첩혐의로 기소하는 거라면 그건 흉측한 계략이라고! 내가 이쪽에 정보를 주려면 북조선에도 무언가 줘야 한다는 사실은 누구보다 당신이 잘 알고 있잖아? 그게 세상의 이치야, 오는 게 있으면 가는 것도 있는 거라고. 지난 10년 동안 당신들 조직이 사용한 지도는 다 내가 가져다준 거라고. 그게 다 어디서 나타난 거라고 생각해?

그러고 이제 와서 갑자기 나더러 배신자라고? 살인용의자? 절대 아니지. 내 생각을 말해줄까? 난 너무 많은 걸 알고, 조직에서 제일 힘 있는 남자의 마음을 훔친 죄로 위협받고 있는 거라구.

그래, 내가 송 동지에게 몇 월, 며칠, 몇 시에, 무슨 핵 지도를 어떻게 줬는지 말해줄 수 있어. 하지만 내가 배신자라는 건 절대 인정할 수 없어. 이렇게 당하게 된 나 자신을 탓할 수밖에. 전에도 당했었는데 여기서 또 당하지 말란 법이 있겠나? 여기 미국은 자유의 땅이기 때문에?

(비트) 도망쳐 나와 몽골 사막에서 지냈던 밤들, 추위는 뼛속까지 스며들고 심장은 으그러질 것만 같았어. 고요하고, 적막하고, 황량하고, 별들은 수없이 반짝였지. 거기서 끝냈어야 했는데. 그래, 거기서. 희망이라는 건 참 위험한 거야. 마음 속 헛된 상상은 아주 위험하지. 난 알아. 굶어 죽어가는 인민들에게 '강성대국의 꿈'을 위해 정진하라고 환상을

심어주는 배우 노릇을 했으니까. 우린 남한에 대한 거짓말 속에서 자랐어. 남한 사람들이 굶주려 흙이나 먹고 있다고? 고층빌딩은 햇빛에 반짝이고 슈퍼마켓은 먹을 게 가득한데? 중국에서 TV로 본 남한의 모습이 늘 나를 괴롭혔지.

북조선에서 나를 쫓았던 이유가 바로 그걸 거야. 이 모든 걸 보았고, 알고, 자각하고 있으니까... 박 요원, 난 '너무 많은 것을 안다는 이유'로 계속해서 신에게 벌 받고 있어, 그게 정말 죄인가? 당신도 조심하는 게 좋을 거야. 당신. 나와 다를 바가 없으니까.

캐서린, 북한 선전가요인 〈적기가〉를 흥얼거리기 시작한다. 의자를 돌리며 박 요원으로 변한다.

장면 10

박 요원 / FBI 취조실

박 요원 (선전가요의 마지막 후렴구를 마무리하며) 그 북한 노래, 이렇게 부르는 게 맞나? 당신 정말... 시적 표현력이 풍부한데. 하지만 곁다리는 치우고 본론으로 돌아가자고. 당신은 북한을 탈출해서, 북한에 맞서서 남한을 위해 일했지. 그런 후 남한과 미국의 정보원으로 일했고. 그리고 다시 당신을 엿 먹인 북한에 남한과 미국을 팔아 넘겨? 그러고선 오히려 당신이 억울하게 붙잡혔고, 당신이 미국 국방 기밀을 팔아넘긴 게 실제로는 미국을 도우려고 한 거였다. 그걸 나보고 믿으라고? 내 참...

(신경이 거슬려) 네가 사랑에 대해서 날 가르치려 해? 당신은 스파이 짓을 위해서 딸을 앞잡이로 이용했고, 연인과 남편을 소모품처럼 갈아치운 여자야. 똑똑히 알아둬. 내 어머니는 나를 위해 모든 걸 포기했어. 교수로서의 경력, 삶, 그 모든 것을. 그리고 내 어머니는 절대 나를 위험

에 처하게 두지 않아. 진짜 사랑이 뭔지 제대로 이해하고 있는 사람이 있다면, 그건 바로 나라고. 정신 차리고 일어나시지.

박 요원, 머리를 흔들면서 미나로 변한다.

장면 11

미나 / 독방

독방에 갇힌 미나, 우리에 갇힌 동물처럼 서성인다. 미나, 자신에게 속삭인다.

미나   일어나. 일어나, 일어나 (소리친다) 일어나라구요, 엄마! 벌써 오후 1시
야, 심심하다구! 시차 땜에 피곤한 건 아는데... 나랑 여름방학 때는 더
많이 놀아준다고 했잖아.

미나, 의자에 앉으며 가상의 캐서린과 대화한다.

엄마, 이번에는 어디 갔었어? 과테말라? 마카오? 이번에도 사진 안 찍
었어? 왜 엄만 사진을 안 찍어? 내가 인터넷으로 사준 디카가 잘 안
돼? 그니까, 그 사진 같은 건 내 컴퓨터로 일 초면 인터넷에 올릴 수
있는데. 완전 껌이야. 세상에, 엄만 가끔 보면 구십 년대 구석기 시대
라니까. "2000 and late, I'm so 3008[7] (엄만 구석기 2000년대, 난

---

7) Black Eyed Peas의 〈Boom Boom Pow〉에 나오는 가사. 자신이 가장 앞서있고 다른 이(래퍼)들은 시
대에 뒤쳐졌다는 뜻.

3008년 시대)". 블랙아이드피스 곡인데, 엄만 이 노래 모르지?

응, 엄마가 지난주에 외국 간 사이에 아빠가 왔다 갔어. 보드게임도 하고 놀았는데 내가 완전 이겨버렸지, 재미있었어. 근데 아빠 엄청 우울해 보이더라구. 그래서 또 구구절절 얘기 늘어놓는 거 다~ 들어줬어. 엄마가 많이 보고 싶은가봐. 엄마랑 아빠랑 처음 만난 날. 아빠는 그날 엄마가 뭐 입고 있었는지 완전 다 기억한다. 핑크색 드레스에 질끈 묶은 검은 생머리! 아, 근데 이번에는 엄마가 '엄청 아리따리' 하다는 새로운 표현을 쓰더라구. 아빤 엄마만 생각하면 되게 감상적이 되나봐.

(비트) 나도 엄마처럼 예뻤으면 좋겠다. 알아, 알아, 내가 특별하단 거. 동양과 서양, 음양의 조화로 태어난 새천년의 히트상품. 엄마 뱃속에서 나온 깜짝 선물... 하지만 난 예쁘지도 않고, 엄마랑 닮지도 않았잖아. (일어서며) 다들 내가 남미출신 히스패닉이라고 생각한다구, 엄마! 아무도 날 귀여운 동양 여자애라고 생각 안 해. 내 눈이랑 머리 색깔이 이렇게 더러워 보이는 갈색이니까. 엄마 피부는 엄청 부드럽고 털도 하나도 없는데 난 시커먼 털이 온 몸에 숭숭 나있잖아. 거기다가 엄마는 주근깨도 없고. 이 주근깨? 하나도 안 귀여워. 무슨 똥 싼 자국 같다구. 어떡하면 난 엄마 아빠를 이렇게 안 닮을 수가 있지? 그니까, 아빠가 뭐 그렇게 잘생긴 건 아니지만 암튼 눈은 푸른색이잖아. 난 무슨 잘못 섞은 케이크 반죽 같아.

미나 다시 의자에 앉는다.

뭐? 신성한 유기적 창조물? 그런 말은 또 어디서 들었어? 정말 그렇게 생각해? 그냥 예쁘다는 말보다 훨씬 쿨하다. 그리고 생각해보니깐, 난 엄마보다 눈도 크고 속눈썹도 길잖아. 그니깐... 내가 엄마보다 쪼끔 더 예쁘다고도 할 수 있지.

미나, 마치 그녀의 엄마가 만지듯 두 손으로 얼굴을 감싼다. 일어나서 한동안 멀리 응시한다.

엄마, 빨리 와서 구해주세요...

미나, 일어나서 의자 뒤로 가 카디건을 걸치며 박 여사로 변한다.

장면 12

박 여사 / 거실

박 여사 우리 말썽꾸러기 지영이. 어릴 때 매일 싸우고 다녔어요. 하여튼, 왈가
닥, 완전 터프 톰보이. (싸우는 시늉을 한다) 그렇다고 깡패 같은 짓을 하
고 다닌 건 아니구요. 아시잖아요, 남부 조지아 주 작은 마을에서 혼자
동양애로 크는 게 쉽지 않았을 거예요.

지금도 기억이 납니다. 어느 날 오후 지영이가 집에 돌아왔는데, 얼굴
은 온통 얻어맞은 자국에, 치마는 찢기고, 코에서는 코피가 난 거에요.
"지영아! 이게 무슨 일이야? 어떻게 된 거냐!"하고 소릴 질렀더니 지영
이는 날 그냥 쳐다보기만 하더라구요. 그러고선 그냥 '못된 녀석들' 좀
손봐줬다고 하더군요.

그러더니 욕실로 걸어가서 가위를 집어 드는 거예요. 글쎄. 난 지영이
가 무슨 끔찍한 일이라도 저지를까봐 무서워서 얼른 달려가 가위를 뺏
으려고 했는데, 어찌나 지영이가 벌써 커버렸던지. 그러곤 날 보더니

이렇게 말하지 않겠어요. "엄마, 걱정 마. 그냥 머리 자르려고." "그러지마, 지금 머리가 얼마나 예쁘고 기니. 지영아, 하지 마." 하여튼 이 녀석, 내 말은 절대 안 듣지.

그러더니 싹둑, 싹둑, 그 길고 예쁜 머리칼을 잘라버렸어요. 그러곤 거울을 한참이나 응시하더군요. 내가 거기 서있는 것도 못 느꼈는지, 머리를 좀 다듬어주려고 등 뒤로 다가서니까 깜짝 놀라 펄쩍 뛰더라고요. 내가 그랬죠, "그래, 니가 맞고 엄마가 틀렸다. 부처님께서 머리카락은 무지의 잡초라고 하셨어. 그래서 스님들이 대머리잖아. 넌 그렇게 치렁치렁 쓸데없이 긴 머리를 하고 다니기엔 너무 똑똑하지. 그래, 새로운 머리스타일 마음에 드네."

물론 무지하게 마음에 안 들었죠. 그렇게 예쁜 내 딸이 갑자기 피터팬 놈처럼 변해버리다니. 하지만 전 지영이의 그런 행동을 일종의 의식으로 인정해주고 싶었어요. 그리고 지영이에게 약속했죠. "엄마도 앞으로 흰머리가 나더라도 염색하거나 뽑지 않을게. 나이가 들면서 인생의 무상함을 알고 겸손해질 수 있도록. 알았지?" 우리는 손가락을 걸고 약속했어요. 그리고 엄지도장.

박 여사, 새끼손가락으로 약속하고 엄지손가락을 찍는다.

하지만 그게 내가 할 수 있는 전부였어요, 약속이나 하는 것. 내가 딸을 늘 지켜줄 수 없고 그 아이가 누릴 수 있는 것들을 모두 해주지 못한 게 너무 슬펐어요. 하지만 나도 일하느라 항상 피곤해 있었죠. 명성 있는 교수에서 이주 노동자가 됐으니.

(의자에 앉는다) 아무튼, 내가 염색을 하지 않는 이유는 바로 그거예요. 알지, 염색하면 15년은 젊게 보일 거라는 거. 하지만 지영이랑 약속을 지켜야 하니까요.

박 여사, 카디건을 의자에 올려놓고 박 요원으로 변한다.

장면 13

박 요원 / FBI 취조실

캐서린과 어린 미나가 함께 찍은 사진이 뒷벽에 비친다. 박 요원, 책상 위 파일에서 이 사진을 집어 든다.

박 요원   당신 딸 미나와 함께 미국에서 찍은 이 사진, 이게 몇 번째 얼굴이지? 다섯 번짼가? 지금 얼굴은 여기 미국에서 했나? 아니면 서울에서? 한국 성형외과 의사들 솜씨가 세계 제일이라고들 하던데.

박 요원, 사진을 들고 의자를 천천히 앞으로 밀어 '거울' 앞에 선다.

당신 예쁜 얼굴이 그립지 않나? 아침에 일어나서 거울을 보면 내가 누굴까 하고 혼란스럽진 않고? 당신 딸이 당신 얼굴을 닮지 않아서 신경 쓰이지 않나?

박 요원, 캐서린의 얼굴을 만지듯 손을 뻗으며 즉시 의자에 앉아 캐서린으로 변한다. 사진은 여전히 손에 들려있다.

장면 14

캐서린과 박 요원 / FBI 취조실

캐서린   (박요원의 손을 치듯) 내 얼굴에 손대지 마! 끝까지 내 얘기를 듣고 그 잘
난 FBI 파일에 기록해서 승진하고 싶다면, 다신 내 얼굴에 손대지 마.

손에 들고 있는 사진을 보며.

그래. 이 사진은 미나가 다섯 살 때 LA에서 찍은 거야. 이봐, 박 요원.
모든 걸 말해주지. 원한다면 세세하게 내가 분석, 요약, 정리까지 다 해
줄 수 있어. 하지만 그 전에 나와 내 딸을 보호해주겠다고 약속해야 돼.

긴 비트.

좋아. 대한민국 국가정보원. 그쪽 훈련은 식은 죽 먹기였지. 셰익스피
어 연극도 하루면 다 외우는 사람이 남한 사람인 척 하는 건 쉽지. 난
다섯 달 만에 완벽한 남한 사람이 됐지. 미국식 영어, 중국어, 일본어,

러시아어, 독일어도 배웠고. (독일어로) *두 하스트 다스 아우크 게탄, 오더? (너도 배웠지?)*[8]

난 내가 아는 북조선에 대한 모든 정보를 해석하고 해독해서 국정원에 넘겼지. 하지만 대부분은 그 바보 같은 선전영화에 나온 내용들이었으니까, 진짠지 아닌지 알게 뭐야. 그래도 국정원에서는 내가 정보를 줄 때마다 엄청나게 들떴어. 나는 그들에게 역대 최고의 정보통이었던 거지. 그래서 난 다시 고위급 관리로 존경을 받을 수 있었고.

"아, 자아도취에 빠진 불쌍한 여배우 같으니, 관심 받고 싶었구나." 아니, 그 이상이었지. 북조선은 날 쓸모없고 위험한 인물로 간주했어. 그 병신 같은 아들놈이 아버지가 만들어놓은 체제에 위협을 느끼니까 내 존재 자체를 말살해버렸다고. 내가 왜 남한 최고의 정보원이 되어야 했는지 이제 이해하겠어? 내가 실존한다는 걸 확인하기 위한 거였다고.

왜 나약한 인간은 존재감 같은 것에 집착하는 걸까? 사람은 언젠가 때가 되면 그냥 죽는 건데 말이야. 훗, 이 삶, 다 환상이고 터무니없는 거라고. 잔인한 농담이지. 거기에 덧붙여 인간은 또 '자만심'이라고 불리는 걸 가졌고. 그게 모든 걸 망쳐버리지. (소리내어 웃는다) 당신 나한테 정말 고마워해야 돼. 난 지금 당신한테 사랑, 삶, 진짜 여자가 되는 법까지 공짜로 가르쳐주고 있으니까. 게다가 검은나비 프로젝트에 대한 모든 것도. 제발, 그러니까, 내 딸 미나는 어디 있는 거야? 그 애한테

---

8) Du hast dass auch getan, oder?
혹은, 당신도 훈련소에서 다 배우지 않았나? (Du auch hast dass an der akademie gelernt, oder?)

무슨 짓을 했는지 알려줘야 공평한 것 아냐?

캐서린, 의자에서 일어나 사진을 책상에 놓으며 박 요원으로 변한다.

박 요원 정말 뛰어난 배우시군, 그 과장된 말씨 하며... 하지만 아직 구체적인 내용은 하나도 말해주지 않았잖아. 송 동지라는 작자에게 건네준 미국 핵 지도가 어느 것인지, 그걸 다코타 요원에게서 어떻게 훔쳤는지, 그리고 대체 그런 짓을 왜 했는지!

그러니까, 옆길로 새지 말라고. 당신 딸은 무사해. 지금 독방에서 우리가 잘 돌봐주고 있어. 물론, 보장된 건 아무것도 없지만.

박 요원, 의자 왼편으로 다가간다.

거봐, 이기적으로 자기 생각만 말고 사전에 이런 걸 다 생각해놓고 일을 벌였어야지. 당신의 그 엿 같은 철학 따위는 집어치우라고. 자, 당신이 남한에 그렇게 중요한 존재였다면 왜 미국을 위해서 일하기로 한 거지?

박 요원, 의자에 앉으며 캐서린으로 변한다.
캐서린, 자신 왼쪽에 있던 박 요원에게 말한다. 시선은 박 요원이 맞은편에 앉는 것처럼 그 동선을 천천히 따라간다.

캐서린 내가 선택한 게 아니야! 남한에서 날 FBI에 팔아 넘긴 거라고. 그래야 북한과 미국, 전 세계에 대한 정보를 쉽게 얻을 수 있으니까. 내가 하겠다고 한 건 아무것도 없어. 두 쪽 다 합작해서 내 경력을 꾸며내고, 신분증을 위조하고, 기록을 조작해서 미국 대학원 학위까지 받아낼 수 있도록 계획을 세웠지. 전부 사실이야.

이봐, 당신이 내 입장이라면 어떻게 했을까? 몽골에서 자살했을까? 남한으로 도망쳐서 거기에 머물렀을까? 미국 정보원으로 일 했을까? 아니면, 그냥 다 배신하고, 자신의 삶을 망쳐버린 북한에 또 다시 목숨을 버릴까?

말했지, 당신도 나와 다를 게 없다고. 아마 그래서 당신이 나에 대해 그렇게 불안해하고 신경이 날카로워 있는 걸 거야. 이 모든 일이 시작됐을 때 나에겐 아무런 계획도 없었어. 내 운명은 내가 김정일 어머니를 닮은 얼굴로 태어난 죄 밖에 없다고. 그게 나에게 배정된 운명이었지. 그 후로 내가 선택한 거라곤 죽지 않고 살아남기로 한 것뿐이야, 알겠어?

캐서린, 박 요원의 의자에 앉는다.

박 요원 운명? 동양인들이 매일 대는 핑계, 그 엿 같은 팔자타령! 보라고. 북한을 탈출하기로 선택한 것도 당신이고, 정보원으로 팔려가는 선택을 한 것도 당신이고, 당신 삶을 망쳐버리는 선택을 한 것도 본인이라고.

(일어서며) 내 생각은 말이야. 당신 아주 한이 맺혔어. 또 자만심으로 가득하지. 자만심, 당신이랑 당신 딸이 아주 즐겨 쓰는 그 말. 네 인생을

망쳐버린 북한이 오히려 너를 다시 필요하게 하도록 만들고 싶었던 거야. 그래서 당신 딸이고 뭐고, 뭐든지 팔아 넘겨버릴 준비가 되어 있었고, 당신의 그 잘난 그... '자존심'이라는 말로는 표현이 부족해, 당신의 그 잘난... '존재의 흡족감'이란 걸 채우기 위해서 말이야. (캐서린을 노려본다) 내 말이 틀렸나? (천천히 의자에 앉는다)

박 요원, 캐서린의 의자에 앉는다.

캐서린 날 뭐라고 불러도 좋아. 스파이, 삼중간첩, 정체성 혼란에 빠진 여배우. 하지만 감히 내 딸에게 상처를 준다는 말로 나를 모욕주지 마. 정말이지 계획된 건 아무것도 없었다고. 그게 바로 가장 기가 막히게 불행한 점이지.

캐서린, 고통스러워하며 가슴을 움켜쥔다. 아니, 박 요원인지도 모른다. 신음소리와 함께 가슴에 박힌 화살을 뽑아내는 미나로 변한다.

장면 15

미나 / 독방

미나, 가슴에 박힌 화살을 뽑으며.

미나   그니깐 내가 심장에 맞은 화살을 뽑은 다음에, 또 다른 그리스 비극을 연기했어. 오이디푸스 콤플렉스. 그 제목은 뭔 뜻인지 모르겠는데, 내가 쓴 인용 문구는 완전 짱이야.

미나, 대사를 읊으며 연기한다.

"폭군―힘만 무지하게 센 또라이가 폭군이란 뜻이야.―폭군은 자만심의 아이. 그 구역질나는 컵에서 무모함과 허영을 가득 떠서 마신다네. 저 높은 꼭대기에서 재만 남은 희망 없는 구렁텅이로 곤두박질 칠 때까지."[9]

---

9) 연극 〈오이디푸스 콤플렉스〉의 대사.

누가 동양 여자는 표현력이 부족하다고 그랬지?

유치장의 알람이 울린다. 미나, 귀를 틀어막고 구석에 가서 숨는다.

피자가... 오는 거면 좋겠는데.

문으로 다가가 구멍을 통해 밖을 엿본다.

말했잖아요, 울 엄마가 스파인지 뭔지는 난 아무것도 모른다구요! 만약에 아는 게 있어도 절대로 말 안 해줄 거야! 배고프다구! 밥 좀 달라구요!

또라이 새끼!

미나, 책상으로 걸어가며 즉시 박 요원으로 변한다. 책상 위 파일 안에서 종이 한 장을 꺼내든다.

장면 16

박 요원 / FBI 취조실

박 요원   당신을 다음 범죄 혐의로 기소한다.

아랫글 영상 비침.

> 미 연방법 제371장－소득세를 확인, 산출, 사정 및 징수함에 있어 국
> 세청의 적법한 정부 기능을 지연, 방해, 저해 및 무효화시킬 목적으로
> 미합중국을 침해하고 사취할 것을 모의하는 행위. 그리고 미 연방법
> 제794장－외국 정부를 원조하기 위해 국가 방위 정보를 불법적으로
> 인도하는 행위.

의자 뒤로 걸어간다.

> 우리가 당신을 귀화시키고, 고용하고, 당신을 믿은 건 당신이 오로지
> 미국 정보원으로만 일할 거라는 전제하였어. 서울의 그 비싼 호텔에서

호의호식하면서 즐기게 해준 것도 전부 북한 원자로에 대한 정보를 확인하고, 영변에서 대체 무슨 일이 벌어지고 있는지, 그 빌어먹을 우라늄은 어떻게 됐는지 알아내라는 거였다고, Mrs. 화이트. 그래서 내 부모님과 같은 이민자들이 낸 피 같은 세금을 자그마치 오백만 달러나 당신에게 쏟은 거라고. 근데 당신이 11년 동안 그 돈을 다 날려먹고 우릴 장난감처럼 갖고 놀아?

박 요원, 의자를 돌려 캐서린을 마주본다.

(나지막이) 쟤들이 뭐라고 하는지 알아? "어쭈, 예쁘장하고, 야리야리한 동양 년이 우릴 갖고 완전 놀아났네? 와, 누가 상상이나 했겠어?" 당신이 한 짓이 나 같은 사람들한테 무슨 영향을 끼치는지나 알아? 내가 승진을 거듭해도, 여기서 아무리 오래 일한다고 해도, 우리 어머니가 고생해서 동네 사회복지기관 따위에 기부한다고 해도, 우리 동양인들은 고맙게도 너 같은 얼빠진 놈들 덕분에 항상 의심의 눈초리를 받는다고. 미국 남부, 그것도 불교 집안에서, 아무도 제대로 발음 못하는 지영이란 이름을 갖고 자란 내가 너무나 빤히 아는 사실이지. 나 같은 사람이 널 추적해서 잡은 게 천만다행이다. 당신이 몸 팔아 꼬실 수 있는 병신 같은 백인남자가 아니라. 당신 담당 다코타 요원, 아니지, 죽은 FBI 요원 다코타처럼. 진짜 현대판 마타하리로군. 누가 당신 얘기 영화로 찍어야겠는데.

(비트) 당신 같은 사람 요즘 어떻게 하는지 아나? 911 이후, 잠재적 테러리스트를 도우려는 배신자가 된 정보원을?

당신 배울 만큼 배웠고, 여러 나라 말을 하는 데다 철학을 나불대는 삼
중간첩이니까 "하마티아"라는 단어의 뜻 정도는 알고 있겠지? 몰라?
부끄러운 줄 알라고. 당신 딸은 공부해서 숙제까지 냈는데. "과녁을 놓
치다"라는 뜻이지. 모든 걸 이룬 잘난 영웅이 너무 자만심이 넘쳐, 저
지른 실수 때문에 지옥의 나락으로 떨어지는 거지.

이러다가 당신 딸 죽이겠어. 잘 생각해봐.[10]

박 요원, 책상으로 걸어가 카디건을 집어 들고 박 여사로 변한다.

---

10) 원작 연극에서 이 두 문장은 박 요원이 처음이자 마지막으로 한국말을 하는 부분이다. 이후 상사와 문제
　　제기의 발생 요인이 된다.

장면 17

박 여사 / 거실

박 여사, 관객들을 둘러보며 손으로 그녀의 얼굴을 따라 동그라미를 그린다.

박 여사 음, 인상이 아주 좋으시네. 그쪽도. (또 다시 동그라미를 그린다) 아실지 모르겠는데 한국 사람들은 얼굴을 읽지요. 관, 상, 학. 뭐, 우스꽝스러운 부분이 좀 있기는 해요. (관객을 가리키며) 당신은 뒤통수가 납작하지 않고 짱구형이니까 똑똑한 사람. 아니면, (또 다른 관객을 가리키며) 당신은 귀가 부처님처럼 기니까 회사에 큰 도움이 될 얼굴상. 아니면 당신은 아주 예쁘지만 여우처럼 생겨서 남편 잡아먹을 얼굴상. 이렇게 말이 안 되게 단순한 점이 있습니다. 하지만 말이죠, 우리가 살아온 날들이 우리 얼굴에 드러나는 건 사실입니다.

내 얼굴을 보세요. 주름 하나 없이 깨끗하잖아요? (이마가 보이도록 머리를 뒤로 넘긴다) 이마에 주름이 없다니까요! 이건 내가 얼굴을 찡그리지 않고 살아왔다는 얘기죠. 난 66년[11] 동안 별로 얼굴을 찡그려본 적이 없어요. 하지만 오늘, 얼굴을 찡그리게 됐습니다. 왜냐? 존 유 같은 사람이 있기 때문이에요. 그 사람 얼굴을 보니까 목에 살집이 덕지덕지 붙어서 말이야, 아주 게걸스럽게 생겼더라구요. 북한의 뚱뚱한 지도자처럼 생겼어요. 그렇게 생긴 사람은 절대로 믿으면 안 돼요. 그 사람이 한국계라니... 아이구 창피해, 정말.

아니, 존 유가 누군지 몰라요? 이봐요, 뉴스를 좀 봐야지, 뉴스를. 그 애국자법에 대한 메모를 써서 논란을 일으킨 데다가 부시 정권 때 합법적 고문을 옹호한 변호사잖아요. 그 사람 말로는, 미국이 제네바 협약을 지킬 필요가 없다는 거예요. 세상에, 아부그라이브 교도소에서 고문당한 사람들 다 봐 놓고도 어떻게 그런 말을 할 수가 있는 거지? 그래서 내가 인터넷에서 찾아놓은 게 여기 있는데...

박 여사, 책상 위 파일 속에서 메모를 찾는다.

어디 갔나... 아, 여기 있네요.

아랫글 영상 비침.

제네바 협약. "비전투원, 무기를 내려놓은 전투원, 부상, 구금 또는 기타의 어떠한 이유로든 전투에 참여하지 않은 전투원은 어떠한 경우에도 인도적 대우를 받아야 하며, 특히 인간의 존엄에 반하는 폭력, 굴욕

---

11) 박 여사는 1950년대에 전쟁을 겪은 세대이므로 공연 연도에 따라 인물의 나이 조정 가능.

적이고 모멸적인 대우를 금지한다. 특히 여성은 강간, 강요된 매춘 또는 모든 형태의 성적 추행을 비롯하여 그 명예를 훼손하는 어떠한 행위로부터도 보호받아야 한다."

인터넷! 하지만 사람들은, "존 유는 말이야, 하버드 대학 나와서 예일 졸업하고, 워싱턴에서 일도 하고, 책도 썼고… 어쩌고저쩌고, 그러니까 믿을 만하지." 이렇게 잘못 생각하죠. 아마 그 사람 부모님은 자기 아들을 아주 자랑스러워할 거예요. 하지만 사실은 부끄러워해야 해요. 그 사람 부모들도 나 같은 6·25전쟁 세대잖아요. 그런 알만한 분들이 어떻게 자식을 그렇게 키울 수가 있죠? 나 같으면 그런 자식은 당장 호적에서 파버리겠어요. 의절이라는 건 그럴 때 하는 거라구요, 여러분 자식이 흑인이랑 결혼했을 때가 아니라! 하인스 워드를 보세요, 얼마나 대단해, 슈퍼볼 MVP!

존 유가 버클리 대학에서 교수라구? 하! 그런 사람이 교수가 아니지, 나 같은 사람이 진짜 교수지. 그 사람… 그 사람은… 테러리스트라구! 젊은이 의식과 인간권리에 대한 테러! 내 딸이 그 자식을 감옥에 처넣었으면 좋겠어요!

(숨을 고르며) 아이고, 진정해야지. 그런 바보 같은 사람 때문에 심장마비가 오거나 주름이 생기면 절대 안 되니까.

박 여사, 책상 쪽으로 걸어간다. 카디건을 접어 책상에 놓고 박 요원으로 변한다. 박 요원, 책상에 놓인 메모를 보며 잠시 멈춘다. 놀라며 책상 바깥쪽으로 급하게 돌아 나와 무대 앞쪽 중앙으로 이동한다.

장면 18

박 요원 / FBI 사무실

박 요원   (흥분한 목소리로) CIA가 그 여자를 이송해 나갔다니요, 과장님? 대체 어디로 데려간 겁니까? 이 사건은 제 담당이란 말입니다. 뭐, 온몸에 자살폭탄이라도 둘러 즉각적으로 위협이 되는 인물이 아니라구요!

과장님, 아시잖아요. 제가 지금까지 아홉 달 동안 한숨도 못 자고 이건을 혼자서 맡아왔다는 거, 잘 아시잖아요. 코피 터지도록 노력해서 송 동무에 대한 모든 정보와 거래 날짜들, 그 여자가 언제, 어디서, 뭘 했는지, 누구랑 잤는지, 누구랑 연애를 했는지 다 알아내고 있는 중이라구요. 다코타 요원의 죽음을 끝까지 파헤치려면 아직 그 여자가 필요해요. 우리 요원이 죽었습니다, 과장님. 그건 CIA 소관이 아닙니다! 이놈들, 도대체 뭔 소릴 하는 건지. 우리가 범인을 잡아야 할 것 아닙니까. 하루만 더 주시면 보고해 드릴 수 있습니다. 그냥 손 놓고 CIA에 넘기라구요? 제가 만든 자료를 갖고 뭘 어떻게 해야 할지도 몰라요, 그 자식들은. 그 여자한테 불리한 쪽으로 써먹기나 하겠죠.

제가 그 여자와 너무 가까워졌다니요? 제 담당 아닙니까, 제 사건요.
대체 무슨 말씀을 하시는 겁니까?

(비트) 취조에서 한국어를 사용한 건 의도적이고 계산적인 전략이었습
니다! 아니요, 그 여자의 편을 들거나 공감해서도 아니고 정신을 못 차
려서도 아니었습니다. 취조 동안 무슨 말이 오갔는지는 보고서 안에
번역된 기록에 다 설명해놓았습니다, 과장님! 여기 보시면...

긴 침묵.

제가 믿을 수 없다고... 누가... 그랬습니까?

박 요원 침착함을 잃지 않으려 애쓴다.

과장님, CIA가 그 여자를 미국 땅에서 빼내 해외 수용소로 보내버리면
다시는 우리 쪽으로 돌아오지 못할 거라는 걸 누구보다 잘 아시잖습니까.

그 딸은 어쩌구요? 캐서린 화이트를 어디로 데려갔는지 모르십니까?
우리가 이렇게 놓아버리면... 세상에...

박 요원, 충격에 휩싸인 채 의자로 걸어가 주저앉는다. 두 손으로 머리를 감싸며.

젠장...
어떻게 이런 일이...

박 요원, 의자를 무대 앞 쪽으로 돌리며 캐서린으로 변한다.

막간극

구천 혹은 연옥 세계

캐서린, FBI 취조실에서 태국 수용소 감옥방으로 옮겨진다.

비디오 영상, 또는 무대 보조원이 정체불명의 '고문자' 역을 연기하는 방법, 혹은 원작에서와 같이 간단히 의자의 회전을 동반한 극적인 조명등으로 표현될 수 있다.

장면 19

캐서린 / 태국의 수용소

캐서린, 손이 등 뒤로 묶여 있다. 고문을 당한 흔적이 역력하다. 한국 민중가요 〈아침이슬〉을 부르며 의자를 돌려 앉으며 발을 질질 끈다. 서서히 의식을 차리면서 외국 고문자를 발견한다.

캐서린   (한국어로) *여기요! 여기가 어디죠?*

        (일본어로) *니홍고 와카리 마스카?* (일본어를 하십니까?)[12]

            에이젠토 바크와 도코데스카? (박 요원은 어디 있죠?)

        (중국어로) *니 후이 슈어 쭝원마?* (중국어를 하십니까?)[13]

        어떻게 이런 일이… 나한테 약속했다고… 박 요원 어디 갔어! 비겁한 년… 그 여자가 약속했다고! 나랑 내 딸을 도와주겠다고 약속했다고. 그 여자한테 모든 걸 다 털어놨어, 다. 다, 당신은 뭐가 뭔지 아무것도

---

12) (일본어) 日本語が分かりますか? エージェント　パークはどこですか?
13) (중국어) 你会说中文吗?

모르잖아...

잘못했어요. 제 딸이 어떻게 됐는지만 말해줘요, 그럼 모든 걸 다시 털어놓을게요. 약속해요. 하라는 대로 뭐든지 할게요.

좋아, 좋아. 계속 이런 식으로 나오면 나도 아무 말 안 할 거야. 나보다 더 많은 걸 알고 있는 사람은 이 세상에 없다는 거 몰라?

긴 침묵. 캐서린, 주위를 둘러보고 방 안에 악취가 나는 것을 맡는다.

"여기 아직도 피 냄새가 남았구나. 온갖 아라비아 향수로도 이 작은 손을 향기롭게 만들진 못하리라."[14]

아주 엄청난 캐릭터야, 레이디 맥베스. 모두가 그렇게 얘기했지. 근데 난 사실 이 지경이 되어서야 이해가 되네.

"자, 이제 침대에 들자. 누군가 문을 두드리고 있구나. 자, 자, 자, 미나야, 손을 이리 주렴. 이미 끝난 일은 돌이킬 수 없단다. 이제 침대에 들자."[15]

미나야, 엄마가 잘못했다, 엄마가 잘못했어...

고문자가 캐서린에게 가까이 다가온다.

아, 안 돼... 제발... 제발...

---

14) 셰익스피어 〈맥베스〉에 나오는 대사.
15) 셰익스피어 〈맥베스〉에 나오는 대사를 변형한 것.

장면 20

캐서린과 박 여사 / 구천 혹은 연옥 세계

캐서린이 채이고, 얻어맞고, 고문당하는 모습이 슬로모션으로 보인다.

캐서린, 의자에 빙글빙글 돌아간다.

그러고는 의자에서 떨어져 나와 바닥에 무릎을 꿇는다. 그리고 몸이 서서히 널브러진다.

긴 침묵이 흐른 후, 손이 움직이기 시작하면서 기도하는 자세를 취한다.

캐서린이 천천히 일어나면서 무릎을 꿇고 불교와 기독교식 기도를 드리는 박 여사로 변한다.

박 여사   나무아미타불 관세음보살.

주 예수의 이름으로 기도드렸나이다.

박 여사, 일어나 의자에서 카디건을 집어 들어 어깨에 걸친다.

장면 21

박 여사 / 거실

박 여사 지영이가 이런 걸 한 번도 본적이 없어요. 정신 나간 사람 꼴을 해서는 집에 들어오는데, 어디 지옥에라도 다녀온 것 같더라니까요. "지영아, 무슨 일이니?"라고 물어봐도 아무 말도 안하고. 눈은 휑하게 비어있더라구요. 그래서 더 자세히 들여다보니까 아주 어두운 슬픔이... 예전에 이런 눈을 본 적이 있습니다.

난 6·25전쟁 얘기하는 걸 별로 좋아하지 않아요. 하지만 지영이는 어릴 때부터 늘 어땠냐고 캐물었죠. 그리고 조지아 대학 가서는 동양계 미국인, 아시아 유산 문화 등에 대한 수업을 전부 다 들었어요. 몇 월, 며칠 , 몇 시에 무슨 일이 어디서 어떻게 일어났는지 줄줄이 꿸 정도가 됐지만, 책을 읽었다고 전쟁을 겪는 게 어떤 건지 진짜 알 수는 없는 법이죠.

(비트) 내가 어렸을 때 우리 가족은 인천에 살았어요. 네, 네, 그 새 국

제공항이 있는 도시. 아주 나이스 하죠? 맥아더 장군, (똑똑한 영어발음으로) 매~가~서 장군이 유명 또는 악명 높은 인천상륙작전을 펼친 아주아주 중요한 항구 도시죠. 인천상륙작전. 1950년, 구월 십오 일. 난 그 때 겨우 네 살이었죠. 그 당시 인천은 커다란 동물원과 유원지가 있는 걸로도 유명했어요. 그래서 한국전쟁에 대한 제 첫 번째 기억은 아주 흥미진진했습니다. 마치 눈앞에서 노아의 방주와 서커스를 동시에 보는 것처럼. 부둣가에 엄마와 함께 서서 이마~만큼 큰 배에 동물을 싣는 걸 쳐다보던 기억이 나요.

이렇~게 큰 기린, 엄~청 큰 코끼리, 원숭이, 양, 개, 늑대, 우리, 우리에 담긴 여러 동물들.[16] 어머니한테 소리쳤죠. "엄마, 엄마! 저것 좀 봐! 진짜 희한하다. 진짜 신난다!" 근데 어머니께서 아주 공허한 눈빛으로 절 바라보시던 걸 기억해요. 난 너무 어려서 그걸 이해 못하고 어머니 눈이 이상하게 멍하게 비었다고 생각했는데, 사실 그건 아주 슬픈 눈빛이었어요. 아주 적막하고. 아주 어두운. 그리고 엄마는 내 손을 아주 꼭 잡았어요.

그 당시 이승만 대통령이 미국과 동맹을 맺었으니 아마도 그건 미국 배였을 거라고 추측되지만 그 배가 어디로 갔는지는 아무도 모르죠. 근데 어떻게 배에다 한국 사람들보다 동물을 먼저 피난 시키냐구요. 그 다음 생각나는 건 지프차 뒤에 앉아서 부산으로 피난 내려가는 거구요. 이게 6·25에 대한 내 첫 번째 기억입니다.

---

16) 박 여사는 동물이름을 나열할 때, 한국어와 영어를 번갈아가면서 말한다.

난 한 번도 지영이에 대해 걱정을 해본 적이 없어요. 하지만, 이번에 그 눈, 우리 어머니를 닮은 그 눈빛을 보고 나니 너무 걱정이 돼서 지영이 방에 들어가 그 북한 스파이에 대한 파일을 들여다봤어요.

그 스파이의 어린 딸이 화살을 쏘는 시늉을 한다는 점을 아주 눈여겨 읽었어요. 수사관도, 의사들도 그 애가 뭘 하는지 모르고 있다고 적혀 있는데 내 생각에 그 애는 아마 기마족 흉내를 내고 있는 거라고 생각합니다. 한국, 그러니까 코리아라는 단어는 옛날 만주까지 뻗어 몽고에 닿아있던 고구려라는 나라에서 유래한 거랍니다. 기마족은 칭기즈칸 사람들과 비슷한 거죠. 용감한 한국의 기마 전사. 그 어린 아이는 엄마가 해준 한국 신화 얘기를 들은 게 분명해요.

그 스파이가 뭔가 끔찍한 일을 저질렀다는 건 알아요. 하지만 그 사람들이 그 어린애까지 심문하는 건 아주아주 잘못된 겁니다. 파일을 보니까 그 애한테 약을 먹여 환각을 보기 시작한다던데...

박 여사, 카디건을 책상에 올려놓고 미나로 변한다.

장면 22

미나의 전쟁 / 독방, 박 요원 / FBI 사무실

미나, 쿵쿵 걸어오다 의자에 앉는다. 변덕스럽게 의자를 돌린다.

미나 멍청이, 또라이! 상상 속 친구랑 엄마한테 얘기 좀 했다고 내가 미쳤다구? 그럼 이 거지같은 곳에서 나 혼자 뭘 하고 있으란 말이야? 내가 뭐울 엄마에 대한 정보라도 너희들한테 흘릴까봐? 울 엄마 스파이 아냐! 동양인이 여러 나라 말을 한다고 해서 다 스파이는 아니라구! 너희들 정신 나간 거 아냐?

미나, 의자를 책상 쪽으로 옮기며 박 요원으로 변한다.

박 요원 제가 지금 정신이 나가서 사표 쓰는 게 아닙니다, 과장님. 상부에서 제 보고서를 전부 조사하고, 국가가 제 충성심을 의심하는데 제가 뭘 어떻게 더 이상 일을 할 수 있겠습니까? 그렇습니다, 저는 캐서린 화이트와 그 딸이 당한 일들에 동의하지 않습니다.

박 요원, 의자를 책상으로부터 멀리 밀며 다시 미나로 돌아간다.

미나   우리 집에 너희들이 쳐들어와서, 자고 있던 엄마랑 날 끌어내구서. 엄만 내 손을 잡고 안 놓으려고 발버둥치고...; 그러고선 날 이 거지 같은 감옥에 처넣고, 약이나 먹으라고 하면서... 내가 미쳤...???

미나, 멀리서 들려오는 전투 북소리에 귀를 기울인다. 의자에서 천천히 일어나 의자등받이를 앞을 향해 돌리고는 말 위에 오르듯 다리를 걸쳐 의자에 앉는다. 가상의 '말'인 의자를 밀어타기 시작하면서 화살을 쏘기 시작한다.

    내가 누군지 몰라? 저 사람들, 진짜 적들을 내가 쏴서 없앨 거야. 무자비한 폭군에 맞서 싸우는 난 용감한 전사. 구역질나는 컵으로 무모함과 허영과 자만심과 하마티아를 가득 떠서 마시는 피에 굶주린 독재자, 내가 널 없앨 거라구! 퓽~!

미나, 북소리가 계속 커짐에 따라 지평선을 훑으며 수많은 적들이 그녀를 향해 다가오는 것을 본다.

    저기 적들이 온다...

미나, 의자 뒤에 숨었다가 함성을 지른다. 숨을 크게 들이쉬고 의자 뒤에서 뛰쳐나와 마지막 남은 화살을 쏠 준비를 한다.

장면 23

박 요원 / 구천 혹은 연옥 세계

박 요원, 미국의 어머니에게 국제전화를 건다. 전화기 너머로 녹음된 태국 안내원의 목소리가 흘러나온다.

태국어 안내음   *(태국어로)* 텔레타이 국제전화 카드를 이용해주셔서 감사합니다. 여덟 자리 핀 넘버를 입력하고 우물 정자를 누르십시오. 즉시 연결해드리겠습니다.[17]

박 요원, 책상 쪽으로 천천히 다가간다. 조명이 바뀌는 동안 시적 무용의 제스처 (피나 바우쉬 같은). 그리고 카디건을 집어 들고 박 여사로 변한다.

---

17) 코어 콥 쿤 티 차이 버 리 칸 바뜨 토 라 숩 라 황 쁘라테트 텔레 타이 차 니드 텀 느겐. 카루나 코드 마이 렉 핀 페아드 래아그 탐 두에이 크롱 마이 시 리암. 랄 자 탐 칸 첨 토어 칸 토 콩 쿤 나이 마이 차르. *(태국어)* ขอขอบคุณที่ใช้บริการบัตรโทรศัพท์ระหว่างประเทศ Tele Thai ชนิดเติมเงิน กรุณากดหมายเลข PIN 8 หลัก ตามด้วยเครื่องหมายสี่เหลี่ยม เราจะทำการเชื่อมต่อการโทรของคุณในไม่ช้า

장면 24

박 여사 / 거실

박 여사   그리하여 화살은 날아가고.

깊고, 어두운, 시간의 허공 속으로.

내 아이야, 너는 어디로 가고 있느냐?

적들이 아직 너를 따라 쫓느냐?

지평선을 향해 질주하는 너,

결코 숨길 수 없는 그 역마살 때문에.

화살촉은 결국 상처를 내는구나.

흉터는 남고, 피는 굳는다.

마음은 닳아가고 영혼은 지쳐가네.

너는 결국 과녁을 꿰뚫어 황소를 죽일 것.

하지만 아이야,

죽음 뒤에 네가 할 수 있는 일은 무엇이냐?

지영이가 태국에서 건 전화를 받고 그 북한 스파이 사건에 대해서 쓴 시입니다. 지영이는 지금 외국 수용소들을 뒤지면서 그 스파이를 찾고 있습니다. 나한테는 청소년 정신병원 같은 데서 그 딸아이를 찾아달라고 했는데, 전화연결 상태가 별로 안 좋아서 전부 다 알아듣지는 못했어요.

참으로 이상한 때입니다. 괴상한 일들이 일어나는. 난 우리 가족이 미국에 도착했을 때 이런 잔인하고 부조리한 시간들은 끝났다고 생각했어요. 난 미국이란 나라를 사랑한답니다. 우리 가족을 지켜줬고, 또 우리에게 많은 걸 준 곳입니다. 그래서 난 이런 생각하면 너무 무섭고 가슴 아픕니다. 다른 이민자 가족들, 그러니까 우리들 바로 옆집에 살고 있는 이웃사람들이 실제로 무슨 일을 하고 사는지 모르고 있다가, 순식간에 사라져버리는 경우. 전에 있던 삶이 한 순간에 사라지는 일들이 일어날 때 말입니다.

아무튼, 벌써 시간이 이렇게 늦었네요. 무거운 얘기를 너무 많이 해서 미안하네요. 이 늙은이를 찾아주셔서 정말로 고맙게 생각해요. 여러분은 참 조용하고 내 말도 유심히 잘 들어주고, 참 인상이 좋아요. 난 여러분 얼굴이 좋아요. 지영이가 얼른 돌아와 다음번에는 여러분도 지영이를 만나실 수 있으면 좋겠어요.

박 여사, 사람들에게 가라고 손짓한다.

그래, 들어가요, 들어가.

박 여사 무대를 떠나려다 마지막으로 뒤를 돌아본다.

집에 조심해서 들어가세요.

끝.

So the Arrow Flies

그리하여 화살은 날아가고

So the Arrow Flies. A Solo Performance Piece, Conceived, Written and Performed by Esther K. Chae. 85min
Photo by Asa Mathat, Jared Asato, Corky Lee

Characters

CATHERINE PARK alleged North Korean spy, 30s
FBI AGENT JI-YOUNG PARK Korean-American FBI Agent, 20s
MINA WHITE Catherine's American-born hapa daughter, 12
MRS. PARK Agent Park's immigrant mother, 60s

Time Now
Place Mrs. Park's Living Room, FBI Interrogation Room, FBI Office,
       Solitary Confinement Cell, Foreign Detainment Camp, Netherworld

On stage are a desk and a rolling black office chair that swivels.
On the desk are a tape recorder, one FBI file, one pen and a glass of water.

SCENE 1

MRS. PARK   *(offstage, in Korean)* Okay, Jiyoung. I got it~[18]

Mrs. Park, Korean immigrant in her 60s, enters. She has a cardigan draped around her shoulders.

MRS. PARK   *(in a Korean accent)* Hello! Hi~ So sorry to keep you waiting, but my daughter Ji-young just called, and she can not join us for dinner tonight. She works very hard nowadays, even on weekends, because she has a very important case about a North Korean spy. Oh, I didn't tell you? My daughter is an FBI agent. Federal Bureau Investigation agent! I like to say that, sounds ve~ry cool.

---

18) (Pronunciation) Geu-rae, Jiyoung-ah. Alat-da~ (Korean) 그래, 지영아. 알았다~

My Ewha University alumni friends are scared of Ji-young. But that day she was in a hurry, so she just came down the staircase without her jacket on. And they saw the gun strapped around her. They said, "Uh-muh-na, she carries around a gun"? So I said, "She's a FBI agent, what does she carry around —banana"?

(sits in chair) I don't know what they are more scared of: that Ji-young carries around a gun, or that she works mostly with white Americans, or that she is not married or because they think she is gay, or because she has stupid horrible chestnut haircut! I think it's stupid short chestnut haircut. I keep telling her, "Look at all those women on <CSI> TV shows —they have nice hair!" But she doesn't listen to me. But I understand. She's very pretty you know. She can be very distracting to men, so she has to dull and mute herself. You know what I mean?

But most importantly, my daughter has to be inconspicuous because she put some bad villains into jail. And sometimes the villains come back out and hunt the agent down. In her desk, Ji-young has a photocopy of all the villains' faces who are now released from jail. She looks at it often to recognize them, just in case they come back after her. *(hushed)* So after I saw this on her desk, I secretly went into her room to make a photocopy of the photocopy. So, I too can study very carefully each face—what kind of eye color, how high the nose is, how sharp their chin is.

I see everything, I have noon-chi. *Noon-chi.* Ha. Too bad English doesn't have this word. It means, "eye-sense." *(points at her eyes)* Looking around and know what is going on. I have hyper awareness. So if I see those villains from the photocopy, I can report to police or call my daughter or distract them or do something. So I can be undercover agent for my daughter! You laugh now, but you are too young to understand. That is how a Umma's heart is. That is what I will do for my daughter.

Mrs. Parks shrugs her cardigan off onto the chair's back. Seated, she turns the chair upstage. Then she slowly gets up, transforming into Agent Park.

SCENE 2

FBI Agent Park, Korean American woman in her late 20s with a slight Southern drawl. She turns on a tape recorder of a woman speaking to a man in North Korean dialect.[19]
Recording in Korean.

Comrade Song   *Nicely done, Comrade Park.*

Comrade Park   *Not at all, sir.*

Comrade Song   *The confidential information you provided us was*

---

19) (Pronunciation) Park dong-mu, soo-go mahn-aht-seup-neh-da. (Korean) 박 동무 수고 많았습네다.

(Pronunciation) Ah-nib-neh-da. (Korean) 아닙네다.

(Pronunciation) Dong-mu-ga joon bee-mil jung-bo-neun bah-ro sahng-boo gi-gwahn-eh bo-go het-seup-nee-da. (Korean) 동무가 준 비밀정보는 바로 상부기관에 보고했습네다.

(Pronunciation) Al-at seup-neh-da. (Korean) 알았습네다.

(Pronunciation) Goht gum-eun na-bee-eh-geh yul-rahk deul-ee-get-sup-neh-da. (Korean) 곧 검은나비에게 연락드리겠습네다.

(Pronunciation) Neh. (Korean) 네.

delivered directly to the superior office.

Comrade Park   *I see.*

Comrade Song   *We will be in touch soon, Black Butterfly.*

Comrade Park   *Yes, sir.*

Agent Park turns the tape recorder off.

AGENT PARK   Even though the majority of this tape recording is a North Korean man speaking, I think we can come to the conclusion that this is your voice, Mrs. White.

Agent Park addresses the chair ("Catherine").

The Washington office intercepted this conversation June 12th of last year while you were in Seoul. I listened to all the phone calls you made trying to find out where your parties with President Kim were being held at. And phone calls to flower shops about sending bouquets to all your high powered friends and what not. And we usually don't track or bug our informants phone calls. So what was extraordinarily startling and confusing to me was that you were speaking to a *North* Korean man.

Now why would you be doing that? And who is this

"Comrade Song" who so fondly refers back to you as "Comrade Park"?

(beat) For the purpose of this investigation you need to speak in plain American English, Mrs. White.

(goes to file) Let's look at all your different names, Mrs. White. Born Park Seung-hee 1967 in Najin, North Korea. Used same name in China but then in South Korea changed to Park Hekyung. Maiden name in the US was anglicized and listed with INS as Catherine Park. Park gets inverted since Koreans put their last names, first. And as we heard on tape you're referred to as "Comrade Park" also known as code name Black Butterfly. And of course, Catherine White that you kept after your divorce. Jesus, how many names are that, five? *(counts names)* I'm sorry, six. *(beat)* And to think you and I actually have the same family name Park...

Agent Park examines Catherine's face closely. Then from her FBI folder, she takes a black and white photo of Catherine that is different from her current face. Agent Park shows it to Catherine. In the photo, Catherine is wearing a North Korean uniform with a hat. Projection of the same photo up on the back wall or screen.

Do you have as many different faces as your names, Mrs. White? I got this photo of you when you were part of the People's National Theater as a "No. 1 Actor". That's right, I found out you used to be an actress in Pyungyang.

Shows photo offstage as if through FBI interrogation window.

Now, guys, how the heck did ya'll miss this...

Alrighty, let's start from your plastic surgeries.

Agent Park slowly sits into the chair and transforms into Catherine as the chair swivels around to face the audience.

SCENE 3

NORTH KOREAN SPY CATHERINE / FBI INTERROGATION ROOM

Catherine, an alleged North Korean spy in her late 30s, sits handcuffed and cross-legged with the previous photo in her hand. Speaks poised Standard American and both South and North Korean dialects.

CATHERINE   *(in Korean) Wow, I'm so impressed. You did a lot of homework. So where in heaven's name did you find that photo? Can we talk after I've had some water?*[20] *(in English)* Fine. I'll speak in English if you won't give me any water otherwise. Even though I know you understand both my North and South Korean, Agent Park. *(scans Agent Park up and down)* A young female Korean-American FBI agent... Very

---

20) (Pronunciation) Eh mahni ssuht−neh. Ah−nee ee−gun ddoh uh−dee−suh cha−jaht−suh, geu−reh? Juh−gee mool john mah−shi−go yeh−gi−ha−ja−goo. Mwuh?
(Korean) 애 많이 썼네. 아니 이건 또 어디서 찾았어. 그래? 저기 우리 물 좀 마시고 얘기하자구. 뭐?

interesting. We might even be related, Agent Park.

Catherine refers to the black and white photo in her hand.

I really did look like Kim Jungsook, didn't I? *When did I have my plastic surgeries? Which one?* My face changed more times than you can count on your...teeth.

Everyone said that I was a spit and image of Kim Jung-il's mother, Kim Jungsook. But still, if I were really going to portray the mother of the nation in propaganda movies, I couldn't just look like her. I had to *be* her. I mean I was anointed to be one of the prestigious *ilho baewoo*, The No.1 Actors of the Democratic People's Republic of Korea.

Catherine puts the photo on her lap. She indicates areas fixed on her face.

Dr. Zielbauer in Munich said my eye shape and ear size were identical to Kim Jung-il's mother's. But he had to raise my nose 1.5mm higher so my nostrils would be slimmer. Cheekbone injections. Chin sharper. Chest smaller. And, of course, the most important part. My vocal cords.

Catherine emphatically sings North Korean propaganda song "The Red Flag" with hand gestures.

CATHERINE   *(in Korean) Raise the red flag high and mighty. I shall swear under it!*[21]

(in English) It was amazing. I was only 17 when I portrayed the dear leader's young mother in the movie "The Red Sun Continues to Shine". Fevered, passionate performances, mass games with my face plastered all over the stadium, expensive food and wine imported from Russia and Europe. Everyone loved us, the No. 1 Actors. They had to. It was their obligation.

Catherine picks up the photos from her lap.

One day, you're the mother of the nation. Then the next, you're a refugee being hunted by that very nation you served. Ha! Life. Undulates very very oddly. Don't you think, Agent Park?

Catherine throws the photo to the ground.

So now. Tell me what you did with my daughter Mina.

---

21) Noh−pee deu−ruh−rah, bool−geun git−bah−reul. Geu mit−eh−suh gut−geh meng−she−heh! (Korean) 높이 들어라 붉은 깃발을. 그 밑에서 굳게 맹세해!

SCENE 4

Agent Park picks the black and white photo off the ground. She walks over to the FBI desk and opens her FBI file.

AGENT PARK   Your daughter Mina's safe. They're just asking her questions, standard procedures. In the meanwhile, let's get the following details out of the way first.

As Agent Park reviews her notes, projection of KIM family tree on the back wall or screen.

1994, once dictator number one Kim Il-sung dies, the regime changes over to his son Kim Jung-il. Then the mother of the nation, no, you, the actress portraying the mother of the nation, is ousted. Because dictator number two Kim Jung-il needs to clean house and start his own crazy legacy. And now he's dead and his pudgy son Kim Jung-eun is the next 'supreme leader' of North Korea. Unbelievable...

1994, that same year, you're exiled to the border of China and North Korea, to work as a surveillance manager and you flee. First into mainland China where you bust up your face again. So people wouldn't recognize your actress face as Kim Jungsook.

Agent Park takes out the previous black and white photo and another second colored photo, which also represents Catherine's previous face.

Too bad, you used to be really pretty. The Chinese doctor did a really good job making you look ugly.

Comes back to desk and puts both photos into the FBI file.

Then you escape to Mongolia and finally you succeed in getting into the Korean Embassy— and you are sent to Seoul. The South Korean newspaper here quotes, "Even the mother of the nation could not endure the torturous and impoverished life in North Korea." And this perks up the South Korean National Intelligence Service and they ask you to work for them. Is all of this correct?

Agent Park takes the glass of water from the desk and takes a long sip.

Agent Dakota was found dead two days ago. Right on the heels of Kim Jung-il's death. I find that very odd. You have any idea why?

Agent Park immediately transforms into Mina.

SCENE 5

MINA / SOLITARY CONFINEMENT

Mina, a 12-year-old, half-Korean, half-Caucasian American daughter to Catherine. She hollers a warrior cry from behind the chair, then jumps out and aims her arrows to different parts of the theater, as if reenacting a battle. She makes sounds of arrows flying as she shoots them, "pyoong~ pyoong~ pyoong!"

Suddenly, Mina is hit by imaginary arrows. The last one hits her heart. She staggers, then plunks into the chair and as she 'dies'...

MINA   Ha...ha...martia...

Mina goes limp in the chair. Beat. She wakes, adjusts her pig tails, then starts talking to the audience as if they were her 'imaginary best friend.'

So that's what I did, Joss! For our Greek tragedy homework! And of course Mrs. Cooper was like totally blown away by my presentation and gave me an "A+". Cuz nobody said that our Greek tragedy presentation couldn't be a theatrical one. Hello? So after I die, cuz the arrows hit me all over my body, I explain Aristotle's writing in the <u>Poetics</u> about hamartia. Ha-mar-*tia*, on the third syllable. Do you know what that means? Hamartia literally means "missing the mark" in archery butin Greek tragedy means, like, the hero's tragic flaw. Cuz they totally miss the point and that becomes their fatal error. And it's usually becuz they have too much hubris. You know what that means, right? Hubris is like, a lot of pride. Like you think you can do any thing and that you can mess with everything. And if you have too much hubris, you basically become a dickhead. Like Michael Limbaugh.[22] He thinks he's so cool cuz he's dad's like a congressman or whatever but everyone in our class hates him cuz he's such a *D-I-C-K*. *(performs 'DICK' dance)* Even the teachers hate him. You so know it's true.

As Mina walks towards the desk, she transforms into Agent Park. After reading a memo on her desk, Agent Park grabs her file, goes around the outside of the desk and comes downstage center, stepping into her superior's office.

---

22) Or any other current rabid Republican's last name.

SCENE 6

AGENT PARK   Yes, sir. She was ordered by us to give some information to North Korea under the code name Black Butterfly. But she was not supposed to hand over all those classified documents. I mean, it has all the scientists' names, their faces and which nuclear program they're working on. She also leaked photos from Agent Dakota's 60th birthday party, at which key senior FBI agents were present, including you, Sir. If you remember, Catherine's daughter Mina was taking photos. So it just looked liked an innocent kid was taking family pictures.

I do think Catherine being Agent Dakota's lover is the main reason why North Korea took him out. I'm not sure the order was under this new regime, though. They couldn't have moved that fast... Sir, has Catherine's daughter been released to go back home? Really? But there's a law against interrogating a minor, we could get into serious trouble. I know we're under time pressure sir, but I'm the only one combing through all the tapes. There's over 200 hours from Seoul, Pyungyang and DC.

The CIA? What do those clowns want?

Agent Park returns back to the desk, and drops her folder on it. As she grabs the cardigan from the chair's back and puts it over her shoulders, she transforms into Mrs. Park

SCENE 7

MRS. PARK / LIVING ROOM

MRS. PARK   I am so proud of my daughter Ji-young. She is one of the youngest women to work for the FBI agency. Can you imagine, my daughter working for the American government? You are only truly integrated as an immigrant when you are representing your adopted country *verbally*. I know. I used to be a linguist professor in Korea. That is when your immigrant community has arrived.

Not scientist or engineer or doctor but more like— defense lawyer. You have to talk talk talk and make a good argument to win a case. Or actor. No, not playing some dumb delivery boy but when you play

some heart-breaking beautiful character like, like[23]
ee-reum-ee muh-duh-ra... Oh, Joan Chen! She was
so good in that movie, *The Last Emperor*. I don't
know how she always knows my heart. She's
Chinese and not Korean, but that's OK.

Or FBI agent. Because you have to talk to all kinds
of people and give them confidence that you are
representing the United States, so they will give
you vital information. If you have accent and don't
act American, then you can not become FBI agent.
I mean my daughter Ji-young has kind of strange
southern accent because we lived in Georgia. But
she still sounds American, you know what I mean?

(sits down in chair) Oh actually, I have another funny
accent story. When Ji-young was at FBI Academy
in Quantico, she had Fire Arms Instructor who was
also Korean. And his English was kind of bad and
it got worse when he got excited. So one day the
students are doing shooting target exercise and the
fake bodies are coming towards the students and
Ji-young got scared and she froze when she was
suppose to shoot. So the Korean instructor

---

23) What was her name... (Korean) 이름이 뭐더라...

screams, "Ji-young what are you doing, *throw your gun!*" So Ji-young got very confused and took out her gun out and threw it at the target!!! No, no he meant "draw your gun, *draw!*" Silly Ji-young, she still should have known. Who throws a gun?

I know I also have an accent, but actually I am fluent in English. I even write poetry in English and probably know English better than most American people. But they don't know. They see me and say, "Oh, she's so cute, she's so round, she's so funny, she has funny accent." And they think everything I say is stultiloquy. Foolish babbling, stultiloquy. You didn't know that word, did you?

(looks at her wrist watch) Ok, enough talking, we don't have to wait for Ji-young. Let's just go have dinner.

Mrs. Park immediately turns into Mina as she pushes herself upstage in the chair and shrugs her cardigan off onto the back of the chair.

SCENE 8

MINA / SOLITARY CONFINEMENT

MINA I'm so hungry! They should at least give me some
food... Pizza would be nice.

*Mina anxiously peers out 'the prison door' downstage, then walks
around her cell. She addresses her 'imaginary friend' again.*

Yeah, my Mom's home but *(making something up)* she's
not feeling good, she's in bed. And you know my
Mom don't cook like your Mom. I know, like I'm the
only kid that has an Asian Mom that don't cook,
what's up with that.

Sits in chair, turned backwards.

You know what's so funny, though? My Mom's a

total bad ass, like she didn't take any shit from my Dad when they were getting a divorce or she'll out talk anyone if they're disrespectful to her and stuff. But she's always telling me that I have to look out for her. That I'm her warrior that protects her. Cuz I guess she knows I've got her back and I'm not going to let anyone mess with her. Cuz... I understand. I understand! She's like a high powered, important executive ambassador working for world peace. And, and it's like a dangerous job, you know? And people don't like women, women of color being so smart and awesome. It's threatening. That's what Oprah said. And that's my mom. And that's you and me when we grow up.

Standing up from chair.

Hello, of course I'm part of the movement! just cuz I'm half Korean and half white don't mean I'm not down with the cause. Don't you know that flava and color always trumps over *nothingness*?

I know, my name is Mina White. *(sits back in chair)* So stupid and totally against my identity. I'm totally changing my name to Mina Park when I'm legally

18. You probably didn't know, but my name Mina Just sounds anglo, but actually in Korean it has, like, a totally deep meaning. My Mom told me that if you write 미(mi)나(na) –

Mina writes the Korean characters in the air. Simultaneous animated projection is seen on the back wall in Korean and Chinese characters.[24]

–it means "pretty and beautiful" in Chinese. Isn't that cool? Huh, I don't know why it's a Korean name and has a Chinese meaning... Cuz we're not Chinese. I'll have to ask my mom when she wakes up. But not right now, she's finally home from her international travels, so I need her to rest.

Mina closes her eyes as if resting then transforms right into Catherine.

---

24) (Korean) 미나 / (Chinese) 美娜

SCENE 9

CATHERINE / FBI INTERROGATION ROOM

CATHERINE   Have you ever been hungry, Agent Park? I mean really famished. From royalty to surveillance manger eating rationed food. I had no idea people were living like this. It got worse with that unprecedented famine that hit North Korea.

He's the reason I am still alive. My North Korean husband that the party chose for me when I was a No. 1 Actor was thankfully a nice man. He swam across the icy Dooman River to warn me to flee. Apparently I was being accused of trafficking with South Koreans. But North Korea exiled me to the border and I was dealing with the Chinese, not South Koreans. What were they accusing me for? Something was wrong, I mean I was a member of the No. 1 Actors, I portrayed our dear leader Kim Jung-il's mother, I had done nothing wrong against our country. But I had to flee further into mainland China and I waited. And waited. But I never heard from my husband that I should come back home. *(beat)* Sure, I can give you his name but they probably killed him off so...

When I first came to America I only watched soap operas – Guiding Light, General Hospital. This concept of who you choose to love, who you decide to marry. I love you, I love him, "I, I, I." No *we*, all *me*. So I tried this concept out on my ex-husband Frank White and it worked! I mean, I married him mostly for my US citizenship. But we did have a child together. So, it lasted while it did.

(beat) She's so smart, my daughter Mina. Articulate, vivacious, almost as tall as I am and she's only 12 years old. She doesn't know anything. You really still don't know where she's been taken?

You've clearly never been in love, Agent Park, have you? It might be a little difficult for you. I mean you act as if you're a man: short shuffled hair, deep voice with that strange accent. I don't think men find that attractive. Do your FBI colleagues really take you more seriously just because a small Asian woman is pretending to be like a white man? If anything Agent Dakota truly trusted and treated me like an equal because I am feminine, because I act like a woman. You should rethink your look.

You think I was simply using him, but Agent Dakota and I truly loved each other *and* we had a profound understanding for one another. *(in Korean) I gave you all the maps that the agency has been using for the past 10 years. Where did you think all of that came from?*[25]

And *now* suddenly I'm a traitor? A prospective murderer? Hardly. You know what I think? I think I became too threatening, being the one that knows the most and having had the heart of the most powerful man in the agency.

So yes, I can give you the dates and times and which nuclear map I gave to Comrade Song. But no. I will not admit to being a traitor. Unfortunately, I

---

25) (Pronunciation) Jee-nan ship-nyun dong-ahn dahng-shin-deul jo-jik-ee sa-yohng-hahn ji-do-nuen da neh-ga joon-guh-ra-go. Gu-geh-da uh-dee-suh na-wat-seul guh-ra-go saeng-gak-heh?
(Korean) 지난 10년 동안 당신들 조직이 사용한 지도는 다 내가 갖다준 거라고. 그게 다 어디서 나타난 거라고 생각해?

only blame myself for not seeing this coming. It's happened before, why wouldn't it happen here? Because it's the land of the free...?

(beat) Those Mongolian desert nights, when I was on the run... were... bone chilling and heart crushing. Still, silent, desolate and very very starry. I should have expired there. I should of. Hope is a dangerous thing. False images in your mind can be very dangerous. I should know. I was creating those illusions as an actress for starving civilians to strive for the 'great cause'. We grew up on lies about South Korea. South Koreans were not starving and eating dirt. They had skyscrapers glittering in the sun, supermarket shelves stuffed with food. Those tv images that I had seen in China haunted me.

I guess that's why the North Koreans wanted to arrest me. For having seen. For knowing. For being cognizant. Agent Park, I'm continuously punished by the gods for 'knowing too much.' Is that a sin? You better be careful, too. You're not that unlike me.

Catherine starts humming the North Korean propaganda song "The Red Flag" from the previous scene. As she turns in the chair, she transforms into Agent Park.

SCENE 10

AGENT PARK *(finishing the last refrain)* Is that how that North Korean propaganda song goes? You sure do have a... poetic way of putting things. But let me just get the bare bone facts straight. You escape North Korea and work for South Korea against North Korea; then work for South Korea and the US as an informant; and then sell us both out to a country that screwed you over? And I'm supposed to believe that I caught you on the reversal, that you sold US defense information to actually help us? Yeah, right.

(Agent Park starts pacing) And really, you're lecturing me about love? You used your own daughter as a front for your spying, your lovers and husbands

are expendable. You see, my mother sacrificed everything for me, her own career, her own life. And she would never put me in harm's way. So I'm the one that understands what true love really looks like. Jesus, wake up.

Agent Park shakes her head as she transforms into Mina.

SCENE 11

MINA / SOLITARY CONFINEMENT

Mina paces like a caged animal in the solitary confinement room, whispering to herself.

MINA Wake up. Wake up, wake up, wake up. *(shouts)* Wake up, Mom! It's like 1pm right now. I'm bored! I know you're jetlagged, but it's my summer vacation and you promised you'd spend some time with me.

She sits in the chair to talk with 'Catherine.'

So where did you go this time? Macau? Guatemala. Did you take any photos this time? Why don't you ever take any photos, Mom? Seriously, what happened to that digital camera I ordered for you on line? I mean I can upload that shit, stuff for you in a nano second on my computer. It's super easy. Geez, Mom you can be so "2000 and late, I'm so 3008." It's a song from the Black Eyed Peas.[26]

Yeah, Dad came by last week when you were out of the country. We played Cranium and I totally won, so that was fun. But you know, he gets super moody and he totally misses you. So I had to listen to his depressing story again of when you guys first met, that he remembers exactly what you were wearing—a light pink dress with your black hair in a ponytail. Oh, but he used a new word this time that you looked quite *fetching*. Dad can be so mushy sometimes. Fetching?

(beat) I wish I were pretty like you. I know, I know, I'm special, I'm inter-racial, I'm a ying-yang product of the new millennia, I'm a mixed bag o' surprises from the placent-ee-a. But I'm not pretty, I don't look like you! No Mom, no one thinks I'm a pretty Asian girl, *(standing from chair)* everyone thinks I'm Hispanic! Cuz my eyes and hair's like this yucky brown color that just looks dirty... Your skin is so smooth and you have no body hair, and I have this

---

26) Alternate line: Geez, Mom, you can be so 90s, sometimes.

dark fur mat all over me. And you don't have freckles. These are not cute, these dots that look like poo marks are not cute, Mom. How come I don't look like you and Dad? I mean Dad's not that good looking but at least his eyes are green. I'm just like this bad cake mixture that went wrong.

Mina sits back into chair.

What? "Divine organic creation?" Where'd you get that from? You're not just saying that, right? Yeah, that's totally way cooler and more important than just being pretty.

And I guess my eyes are bigger and my lashes are longer than yours so... that part makes me a little bit prettier than you.

Mina cradles her face with both hands as if her mother is doing so. Then stands up and stares out.

Mom, hurry up and come save me...

She walks around to the back of the chair and starts putting on the cardigan, transforming into Mrs. Park.

SCENE 12

MRS. PARK / LIVING ROOM

MRS. PARK   My silly girl Ji-young. She was always fighting even when she was a young child. Tom boy, Tom boy. *(she shadow boxes)* Tough girl. But not because she is bully, but you know, it was hard for her growing up in the small town in Georgia. No Asians there.

I remember one afternoon, Ji-young came back home—hit all over her face, dress torn, nose bleeding. I shouted, "Ji-young-ah, what's wrong? What happened?" But Ji-young just stared at me. She did not even cry. Then she just said she had to take care of some 'bad boys'.

Then she went into the bathroom and grabbed the

scissors. I was so scared she was going to hurt herself, so I ran after her and tried to take it away from her but she was already quite tall by then. She look at me and said "Umma, don't worry. I'm just going to cut my hair." I said, "Don't do that. You have such nice hair. Ji-young-ah, don't do that." But, she doesn't listen to me.

Then she just snip, snip, cut off her long beautiful hair. She stared at the mirror for a long time. I think she forgot I was there because she jumped when I came behind her to style her hair to look better. And I said, "You are right, Umma was wrong. Buddha says hair is the *weed of ignorance.* That's why monks are bald. You are too smart to be vain and carry around so much hair.I like this new hair style."

Of course, I was upset! My girl is so pretty and now she looks like that Peter Pan boy. But I wanted to acknowledge Ji-young's actions and kind of ritual, you know? Then I made a promise with her "Umma will not dye or pluck my grey hair so it reminds me of my old-age and impermanence, and keeps me humble too, okay?' And then we do pinky promise.

Sealed with stamp.

Mrs. Park mimes a pinky promise, sealing it with her thumb.

But that's all I could do. Make a promise. I felt very very sad that I could not protect my daughter and give her all the things she deserved. But I was so tired working all the time. From prestigious professor to immigrant factory worker.

(Sits in chair) Anyway, so that's why I don't dye my hair. I know, I know I would look at least 15 years younger but I made that promise with Ji-young.

Mrs. Park leaves her sweater on the chair and turns into Agent Park.

SCENE 13

Projection of a photo of Catherine holding Mina as a younger child. Agent Park grabs the same photo from her file.

AGENT PARK   This photo that you took in the States with your daughter Mina, what number face is this? Is this number five? Did you get your current face done here or in Seoul? They do have the best plastic surgeons in the world.

Agent Park, photo in hand, slowly pushes the chair forward and looks straight ahead into 'the mirror.'

Do you miss looking pretty? When you wake up in the morning and look yourself in the mirror, do you get confused with who you are? Doesn't it bother you that your daughter doesn't look like you?

As Agent Park's hand reaches out as if to touch Catherine's face, she sits immediately into the chair, transforming into Catherine. The photo still in hand.

SCENE 14

CATHERINE & AGENT PARK'S DUEL / FBI INTERROGATION ROOM

CATHERINE   *(as if swatting away Agent Park's hand)* Don't touch my
face! You want to hear the rest of my amazing
stories so you can put them in your FBI files and
get promoted? Then don't ever touch my face.

Looks at the photo of her and daughter Mina.

Yes. This photo was taken in Los Angeles when she
was five. Look, Agent Park, I'll tell you everything.
I'll even give you my personal comprehensive
analysis if you want. But you have to promise you'll
protect me and my daughter.

Pause.

Okay. The South Korean National Intelligence Service, that training was easy. I'd memorize a Shakespeare play in a day, what, pretending to be South Korean was going to take me time? I was fully integrated in 5 months. I was trained in American English, Chinese, Japanese, Russian and German. *(in German)* Du hast dass auch getan, oder?[27]

I translated and decoded all information I had about North Korea for the NIS, but most were from those silly propaganda movies, so who knows what was really true or not. But the South Korean NIS gobbled up whatever information I gave them. I was the best informant they had ever had. And so, I was treated like royalty. Again.

"Oh, what a self-involved pathetic actress she is, she needs attention." No Agent Park, it's much more than that. I was deemed useless and harmful to my own country. Just because the stupid son was threatened by his father's former regime, he wiped out my entire existence. So you can see how

---

27) You did too, right?
   (German alternate line) Du auch hast dass an der akademie gelernt, oder?
   (English) You learned all that at the Academy as well, right?

necessary it was for me to be South Korea's number one informant. To gain back a sense of−being.

Why do we feeble human beings struggle with this, this sense of existence? I mean at the end of the day, we just come and go, poof, it's all unreal, absurd. A cruel joke, really. And on top of that we have this thing called 'hubris'. That makes every thing so much worse. *(laughs)* You really do owe me. I'm giving you all these free lessons about love, life, being a real woman, and all the information you want about the Black Butterfly project. So now please, it's only fair for you to tell me where my daughter Mina is and what you've done with her.

As Catherine gets up from the chair, she transforms into Agent Park and takes the photo to the desk.

AGENT PARK You really are an amazing actress, all these highfalutin words. But you still haven't told me anything concrete. You need to tell me which US nuclear map you gave to Comrade Song, how you stole it from Agent Dakota, and why you would do such a thing like that!

So don't get side tracked. Your daughter's fine. She's in solitary confinement, but she's being looked after. Of course, none of that is guaranteed.

Agent Park moves to left of chair.

See, you should of thought this through instead of being so selfish. So don't try and patronize me with your bullshit philosophy. Now if you were so invaluable for South Korea why did you decide to work for the US?

As Agent Park sits into the chair, she immediately transforms into Catherine.

Catherine speaks to Agent Park as if on her left. She talks while tracking Agent Park sitting down 'in front' of her.

CATHERINE   I did not make that choice! South Korea sold me off, as an asset to work for the FBI, so I could have even more access to North Korea, the US, the world. I never agreed to any of this. They both conspired to fake all my transcripts, IDs, records so I could pursue a graduate degree in the US. It's all true.

(in Korean) *What would you have done?*[28] If you had such an allotment in life? Would you have killed yourself in Mongolia? Stayed in South Korea? Work for the US as an informant? Or supposedly betray everyone and sell out to a country that ruined your life?

Like I said, you're not that different from me. I think that's why you're so agitated and anxious — about me. I didn't have any agenda when this whole thing started. My fate was that I was born pretty, looking like Kim Jung-il's mother. That was my unfortunate allotment. After that, everything was a decision of the moment of choosing life instead of death, understand?

Catherine switches to Agent Park in chair.

AGENT PARK   Oh, fate, that favorite Asian excuse, fucking fate. Please. You *chose* to escape to North Korea, you chose to sell yourself as an asset, and you chose to throw away your life.

---

28) (Pronunciatoin) Dahng–shin–ee neh–ip–jahng–ee–rah–myun uh–duk–heh het–seul–ka?
(Korean) 당신이 내 입장이라면 어떻게 했을까?

(stands up from chair) You know what I think? I think you're bitter. I think you're full of *hubris-* this word you and your daughter really enjoy using. And you wanted this crazy country that screwed you over to *need* you. So you were willing to sell out at the expense of everything—even your daughter, to satisfy your own, own... I don't know, ego's too weak of a word here. To satisfy your own, "existential smugness." *(peers into Catherine)* Am I right? *(slowly sits back down in chair)*

Agent Park switches back to Catherine.

CATHERINE   Label me all you want; spy, triple agent, confused actress with an identity crisis. But don't you dare accuse me of hurting my own daughter. Really, there was no master plan. And that is the unfortunate part of this all.

Suddenly, Catherine holds her heart in pain. Or is it Agent Park? While grunting, she transforms into Mina struggling to pull out an imaginary arrow stuck in her heart.

SCENE 15

Mina finally pulls the arrow out.

MINA   So after I pull the arrow out that hit my heart, I also perform from another Greek tragedy called O-ee-dipus Rex. I don't know what the title means, but the quote is super cool.

Mina choreographs a dance while she recites.

"The tyrant—a tyrant's like a dickhead with a lot of power. The tyrant is a child of pride, who drinks from his great sickening cup recklessness and vanity, until from his high crest headlong he plummets to the dust of hope."

And who says Asian girls aren't expressive?

Piercing jail alarm. Mina cowers, covering her ears.

I hope... that's our pizza.

She goes to the door and looks through the peephole.

I told you —I don't know anything about my Mom's spying! And I wouldn't tell you even if I did. I'm hungry, bring me some food!

Dickheads!

Mina immediately transforms into Agent Park while walking over to the desk. She pulls a sheet out from her file.

SCENE 16

AGENT PARK You're charged for the following crimes.

Text projection of following statement on the back wall or screen.

> United States Code Section 371; conspiracy to violate and defraud the United States for the purpose of impeding, impairing, obstructing, and defeating the lawful government functions of the IRS in the ascertainment, computation, assessment and collection of income taxes. And, United States Code Section 794; Unlawfully Delivering National Defense Information to aid a foreign government.

Slowly walks towards the chair.

We naturalized you and hired you and trusted you to work solely as a US informant. All your partying and hobnobbing in those expensive hotels in Seoul was for you to get verified information about North Korea's nuclear reactors and what the hell is going on in Youngbyun and their uranium, Mrs. White. That's why we paid you over five million dollars with money from people like my parents, hard earned immigrant tax money, and we've just been hemorrhaging that on you for the past 11 years!

Agent Park grabs the chair and turns it around to face her.

(Hushed voice) You know what they're saying? They're saying "A pretty, petite, pansy looking gook like you played us Americans like a yoyo. Who would of thunk it?" And you have no idea what repercussions that have on people like me. As high as my ranking goes and as long as I work here in the system and however much my Mom donates to her Community Improvement Associations or whatever, we Asians, thanks to crazy gooks like you, are always going to be looked at with suspicious eyes. Trust me, growing up in the South with a name like Ji-young that no one could pronounce in a Buddhist

household, I know. Thank God it was me who pinned you down. Instead of another dumb white fuck who you could sleep with. Like your handler Agent Dakota. No *former* FBI Agent Dakota. Now you are a modern Mata Hari if I ever saw one. Somebody needs to make a movie out of you.

(beat) You know what they do to people like you now? A traitor and informant? To potential terrorists, post 911?

You're a highly educated, multi-lingual, philosophy spewing triple agent, so you must know the word "hamartia." No? Shame on you. Your daughter did a whole paper on it. It means "missing the mark." See, this hero, who could've had anything, has too much hubris. And that causes the hero's downfall into the inferno.

(in Korean) You might get your daughter killed. Think about that.[29]

Agent Park walks over to the desk and puts the cardigan on, transforming into Mrs. Park.

---

29) Ee-ruh-da-ga dahng-shin ddal juk-ee-get-uh. Jal-seng-kak-heh-bwa.
(Korean) 이러다가 당신 딸 죽이겠어. 잘 생각해봐.

SCENE 17

MRS. PARK / LIVING ROOM

Mrs. Park looks out at the audience and mimes a circle around her face.

MRS. PARK You have nice face. Oh, you too. *(makes another circle around her face)* You know, Koreans read faces. *Gwan-sahng-hak.* Usually it's kind of silly. Like you. *(addressing an audience member)* "You have round back head and it's not flat, so you are smart." Or like you. *(points to another audience)* "You have long Buddha ears, so you will bring much luck to the company." Or like you. "You are very pretty, but look like cat, so she will eat up your husband." Something stupid like that. But at the same time, there is something about how one lives and how one looks.

Look at my face. I don't have any wrinkles. *(pulls her hair back to expose her forehead)* No wrinkles on my forehead! That means, I didn't frown. I didn't frown for 66 years.[30] But today, I frown. Why? Because someone like John Yoo exist. And I read his face and he has fat neck and that is gluttony. *(in Korean)* Dukji dukji sal but-uh-suh mal-ee-ya. *(explaining)*

You know, fat just slapped onto his neck. He actually looks like that North Korean fat boy leader. One must not trust people who look like that. I can't believe he is Korean, so embarrassing, jung-mal (really).

You don't know who John Yoo is? Oh boy, you must watch more PBS. He is the lawyer who wrote that controversial memo about the Patriot Act and advocated legal torture during Bush administration. He said, America does not have to abide by the Geneva Convention. I mean how can he say those things after seeing all those people being tortured in Abu Ghraib, uh? So, I did some research on the internet.

---

30) Mrs. Park's age can change, depending on performance year's relation to the Korean War in 1950.

Mrs. Park walks over to the desk and looks through the file.

Uh-dee gaht-na... Okay here it is.[31]

Projection of text as Mrs Park reads from her note.

Geneva Convention. "Noncombatants, combatants who have laid down their arms, and combatants who are out of the fight due to wounds, detention, or any other cause shall in all circumstances be treated humanely, including prohibition of outrages upon personal dignity, in particular humiliating and degrading treatment. Women shall be especially protected against any attack on their honour, in particular against rape, enforced prostitution, or any form of indecent assault."

Internet! And people say, "But John Yoo, he must know, he graduated from Harvard, he graduated from Yale, he work in DC, he wrote a book, blah, blah." His parents are probably proud of him, but they should be ashamed. They are also war generation like me. How could they raise their child like that? I would disown a son like that. That's

---

31) Where is it... (Korean) 어디갔나...

when you disown—not when your child marries a black person. Look at Hines Ward! He became Super Bowl MVP. Amazing.

So John Yoo is a professor at Berkeley? Ha! He is not a professor, He is, he is... a terrorist! Terrorist to the young mind and to humanity! And I wish my daughter could put him into jail!

(catching her breath) Ok, I have to calm down. I don't want to get heart attack or wrinkle because of stupid man like him.

Mrs. Park walks over to the desk. As she takes her cardigan off and leaves it on the desk, she transforms into Agent Park. Agent Park looks at a memo on her desk. Pause. Alarmed, she then hurriedly goes around the outside of the desk, and comes downstage center, to her superior's office.

SCENE 18

AGENT PARK / FBI OFFICE

AGENT PARK *(heatedly)* Whaddya mean CIA is transferring her, transferring her where? She's my case. She is not an imminent threat, she doesn't have a frigg'n bomb strapped around her!

You don't understand sir. I've been working on this case, all by my self, barely sleeping for nine months. I busted my ass off to get us all the information about Comrade Song, dates of transactions, where she was when, when she did what, who she slept with, who she loved. I still need her to get to the bottom of Agent Dakota's death. One of our own was killed, sir. That's not CIA jurisdiction! What are they thinking? We need to find the perpetrator. One more day, I can get those reports... I'm not gonna just hand all my work over to CIA? They wouldn't even know what to do with all my stuff. They'd just use it against her.

I'm getting too close to her? She's my case. My subject. What, what are you taking about?

(beat) I chose to use Korean during the interrogation; it was a deliberate, calculated tactic. it was a deliberate, calculated tactic. or "losing it." I did explain what was said during that interrogation, the translation is in the report, sir! Here, see...

Pause.

Who says... I can't be... trusted?

Agent Park tries to regain composure.

Sir. If we let the CIA take her out of this country, if she leaves this U.S. soil and goes to a foreign detainment camp, you know better than anyone else there's no way in hell she's coming back.

What about the little girl? Do you know where they're taking Catherine White? Sir, we can't let this happen...

Agent Park, dismayed and in disbelief, walks over to the chair and sits, her head buried in her two hands.

Shit...

Jesus Christ...

Agent Park slowly swivels the chair upstage, transforming into Catherine.

INTERLUDE

NETHERWORLD

Catherine is 'transported' out of the FBI interrogation room and into a prison cell that is part of a foreign detainment camp (or black site) in Thailand.

This can be expressed through conventions such as video projections, unidentifiable stagehand(s) acting as 'aggressor(s),' or a simple turn of the chair accompanied by a dramatic lighting change, as in the original production.

SCENE 19

CATHERINE / FOREIGN DETAINMENT CAMP IN THAILAND

Catherine's hands are bound back. She has been tortured. She slowly drags her feet as she turns the chair around while singing the South Korean song of resistance, "Morning Dew." As she slowly regains consciousness, she spots a foreign torturer.

CATHERINE   *(in Korean) Hey! Where am I?*[32]

(in Japanese) Do you speak Japanese?[33]

Where is Agent Park!

(in Mandarin) Do you speak Mandarin?[34]

---

32) (Pronunciation) Yuh gi yo! Yuh giga uh-dee-jo?
    (Korean) 여기요! 여기가 어디죠?
33) (Pronunciation) Ni hong go wah-ka-ri mas-uh-kka?
    (Japanese) 日本語が分かりますか?
    (Pronunciation) Agent Park wa do ko desuka?
    (Japanese) エージェント　パークはどこですか?
34) (Pronunciation) Nǐ hùi shūo zhōngwén ma?
    (Chinese) 你会说中文吗?

How could she do this to me? She promised... Get me Agent Park! That coward... She promised. She promised she'd help me and my daughter! She's the only one who knows everything. You, you, you couldn't even being to understand...

I'm sorry. I'm sorry. You tell me what you've done to my daughter and I will tell you everything. I promise. You can do whatever you want to do with me.

Okay, okay. You want to play this game, then no more stories. Remember no one knows as much as I do.

Long pause. Catherine looks around and smells the stench in the cell.

"Here's the smell of the blood still. All the perfumes of Arabia can not sweeten this little hand."

Amazing character. I mean, everyone says that about Lady Macbeth. But I really didn't understand her until now.

"To bed, to bed: there's knocking at the gate. Come, Mina, come, come, come, give me your hand. What's done cannot be undone. To bed, to bed, to bed."

(in Korean) *Mi-naya,   umma-ga   jahl-moht-het-da.
Umma-gajahl-moht-het-suh...*[35]   *(in English)*   I   was
wrong, Mina... Forgive me, I was wrong...

Torturer comes closer to Catherine.

No, no, no... please... no...

---

35) (Korean) 미나야, 엄마가 잘못했다. 엄마가 잘못했어...

SCENE 20

CATHERINE & MRS. PARK / NETHERWORLD

In slow motion, Catherine is kicked, beaten and tortured.

She spins in the chair.

Then she falls out of the chair onto her knees and lays sprawled on the floor.

Long pause.

Her hands start to slowly move into prayer position.

As Catherine slowly rises, she transforms into Mrs. Park giving Buddhist and Christian prayers on her knees.

MRS. PARK   *(in Korean, Buddhist mantra)* Nah-mu ah-meetah-bool, gwan-se-eum-bo-sahl.[36]

---

36) (Korean) 나무아미타불 관세음보살.

(in Korean, Christian prayer) Ju-yeh-soo-eul ee-reum-u-ro gi-do deu-ryut-na-ee-da.[37]

Mrs. Park slowly rises. She gets her cardigan off the chair and puts it on her shoulders.

---

37) In the name of Lord Jesus, I pray. (Korean) 주 예수의 이름으로 기도드렸나이다.

SCENE 21

MRS. PARK / LIVING ROOM

MRS. PARK   I never saw my daughter like this. She came home looking crazy, looking like she came from hell. I asked her "Ji-young-ah, what's wrong?" But she couldn't say anything. And I looked into her eyes and they were... empty. Then, I looked deeper. And inside I saw... sorrow. I remember seeing these kinds of eyes before.

That's why I don't like talking about the Korean War. Ji-young always asked me when she was younger. She took all those Asian American Pacific Islander heritage classes at University of Georgia. And knew what happened, on which date, and all historical details. But, of course, one can never really comprehend what it's like to experience a war.

(beat) When I was young, my family lived in Incheon. Yes, yes where the new international airport is right now. Nice airport, isn't it? Incheon is a very important port city where General MacArthur, *(slowly enunciating)* *MacArthur* made his famous or infamous Incheon Sang-ryook Jak-jun, "Battle of Incheon," September 15, 1950. I was only four years old at the time. Incheon was also very famous because it had a big zoo and amusement park. So my first memory of the Korean war was very exciting. It was like Noah's arc and circus together right in front of my eyes. I remember being at the boardwalk with my mother and seeing all the animals being loaded onto this big big ship.

Tall giraffes, humongous elephants, monkeys, sheep, dog, wolves, cages and cages of animals.[38] I shouted to my mother, "Umma, Umma, look at that! Isn't it amazing? Isn't that exciting?" And I remember my mother looking down at me with these strange empty eyes. I had never seen my mother with this expression before, so her eyes

---

38) Mrs. Park, ideally, should weave in and out of Korean as she lists the animal names.

looked empty. But actually they were very very sorrowful eyes. Very still. Very deep. And she hold my hand tightly.

It probably was some American ship since President Lee Seung-man was allied with the US, but who knows. I don't know where they were going. But they evacuated the animals first before the Korean people. The next thing I know, I was on the back of a jeep and going down to Busan. This is my first memory of the Korean War.

I never worry about my daughter. But this time, after seeing those eyes that reminded me of my mother's, I am worried. So, I went into Ji-young's room and read through her notes about the North Korean spy case.

I find it very interesting that the young daughter of the spy is pretending to shoot arrows. The investigation people and doctor have no idea what she is doing. But I think she is pretending to be *gimajok*—Korean Horse Warrior. The word Korea comes from Koryo, which was a powerful dynasty in the northern part of the peninsula connected to

Mongolia. So gimajok were similar to Genghis Khan people—fierce Korean Horse Warriors. The girl must have heard some mythical stories about Korea from her mother.

I know the spy did something horrible. But it's very wrong that they have the daughter under investigation by herself. The report also said that they are drugging her and that she seems a bit delusional.

Mrs. Park puts the shawl on the desk as she transforms into Mina.

SCENE 22

Mina stomps over and sits in the chair.

MINA   Stupid dickheads! So I'm crazy cuz I keep speaking to my imaginary friend and my Mom? Like what am I suppose to do in this stupid room by myself anyway! *(erratically swiveling in her chair)*

And like as if I'm going to give them any information about my mom. Hello? She my mom? She's not a spy! Just cuz she's Asian and speaks several languages does not mean she's a spy. That kinda logic is crazy.

Mina moves the chair towards the desk and immediately switches into Agent Park.

AGENT PARK   No I'm not crazy to resign, sir. What other choice to
             I have if the bureau is investigating all my reports,
             and my country is questioning my allegiance? That
             stands correct. I do not agree with how Catherine
             White and her daughter Mina are being treated.

*As Agent Park pushes the chair away from the desk, she switches back
to Mina.*

MINA   They bust into our house, drag us both out of bed,
       my mom's trying to hold onto my hand, they put
       me in this stupid room and they try and give me
       pills and I'm...???

*Mina hears a far away drum call, summoning her to battle. She slowly
rises from the chair, turns the back of the chair to front and straddles it
as if she is mounting a horse. She starts rolling around on 'the horse'
and starts shooting arrows.*

       They just don't get it. I keep shooting at them, the
       real enemy, cuz I am taking them down! I am the
       fierce warrior, fighting against the savage tyrant.
       The blood thirsty dictator who drinks from his of
       sickening cup, recklessness and vanity and hubris
       and hamartia. Pyoong~!

The drum call gets louder and louders as Mina scans the horizon and sees her enemies coming towards her.

... Here they come!

Mina hides behind the chair and then hollers her warrior cry. She jumps out from behind the chair and prepares to shoot her last arrow with one last big inhalation.

SCENE 23

AGENT PARK / NETHERWORLD

Voice over of Thai operator connecting Agent Park's international phone call back home to Mrs. Park in the US.

Thai Operator   *(in Thai)* *"Thank you for using Tele Thai Prepaid International Calling Card. Please enter your 8 digit pin number, followed by the # key. We will connect your call shortly."*[39]

Agent Park slowly crosses the stage towards the table. A gesture (gestus) in transitional light. She then puts on the cardigan and transforms into Mrs. Park.

---

39) (Pronunciation) Kor kob kun ti chai bor ri karn badt toh ra sub ra hwang prated Tele Thai cha nid tem ngern. Karuna kod mai lek PIN pead leag tarm duay kruang mai si liam. Ral ja tam karn cherm tor karn toh kong khun nai mai char.
(Thai) ขอขอบคุณที่ใช้บริการบัตรโทรศัพท์ระหว่างประเทศ Tele Thai ชนิดเติมเงิน กรุณากดหมายเลข PIN 8 หลัก ตามด้วยเครื่องหมายสี่เหลี่ยม เราจะทำการเชื่อมต่อการโทรของคุณในไม่ช้า

SCENE 24

MRS. PARK / LIVING ROOM

MRS. PARK So the arrow flies.

Into the deep, dark void in time.

Where are you going my child?
Do the enemies still haunt you and hunt you down?

Into the horizon you ride.
With that traveling horse spirit you cannot hide.

Your arrowhead is bound to wound.
Scars will form, blood will congeal,
Hearts will be worn and spirits fatigued.

You will succeed in targeting your bull.
But then what, my child,
Then what more can you do after such a kill?

MRS. PARK   I wrote this poem about the North Korean spy case after Ji-young called me from Thailand. My daughter is searching for some remote detainment camp looking for the spy. She asked me to find the young girl in some juvenile correction hospital, but the connection was so bad I could not understand everything.

Such strange times. Such odd news. I thought those absurd times that can be so cruel and violent were over when my family came to America. You know, I love this country. It has protected me and my family and given us so much. So it is just heart crushing, so scary to think that some other immigrant family, who is your neighbor, who lives right by you, you don't know what they really do and suddenly they are gone. And their existing life before is over.

Anyway, it's late now. Sorry to tell you such sad stories, I really like you visiting, you are so quiet and attentive and you have a good face, I like your face. I hope my daughter Ji-young will come back home soon. So next time, you can meet her too.

Mrs. Park motions with her hand for people to leave.

Geu-reh, deu-ruh-ga-ra. Deu-ruh-ga.[40]

She starts leaving the stage and turns around one last time.

Go. Get home safely.

END OF PLAY

---

40) Okay, go. Go home. (Korean) 그래, 들어가라, 들어가.

옮긴이의 글

"하마티아 : 영웅의 치명적인 실수. 비극적 결함"

에스터 채의 희곡을 처음 읽은 건 2011년, 한국문화예술위원회 아르코
국제공연예술전문가시리즈에서 번역을 부탁받았을 때였다. 글로 느껴지는 그
녀는 매우 열정적이었다. 그 후, 작업을 위해 수많은 이메일을 직접 주고받으
며 나를 포함한 한국 스태프들은 놀라움을 금치 못했다. 에스터의 희곡 한 줄,
한 줄에는 공연에 대한 계획과 비전이 뚜렷했고, 우리는 그저 따라가기만 하
면 되었다. 직접 에스터를 만나 작업을 한 뒤, 그녀는 나의 영웅이 되었고 몇
년 뒤, 번역본의 출간을 도와 그녀의 뜻을 전파하기에까지 이르렀다.

희곡은 문학의 한 종류이며 문학은 시대를 반영한다. 에스터의 연극은
인종차별, 사회에 대한 이슈뿐 아니라 여성, 철학, 역사까지 거스르는 기록물
이다. 배우라고는 도저히 믿기지 않을 다양한 이력을 자랑하는 그녀는 우리시
대에 반드시 필요한 예술 작품을 세상에 내놓았다. 오랜 기간 배우의 길을 거
쳐 공연기획자가 된 역자 역시 미국이란 나라에서 잠시 유년기를 보냈고, 한
국에 거주하는 동안 통역자로서 한국인과 외국인들 사이를 오가며 서로의 말
을 옮기고 양쪽 모두의 문화를 이해해야만 했다. 그 속에서 혼란도 있었고,
의문도 많았으며 충돌도 많았다. 더불어 부모님 세대와는 다른 시대를 살고

있는 지금, 비슷한 배경을 가진 롤 모델을 찾기란 쉽지가 않았다. 비록 아시안 아메리칸이 아니더라도 더 넓은 세계를 꿈꾸며 이런 고민을 하는 또래 친구들과 이야기를 나누었지만 해결점을 찾지 못했다. 영화를 보아도, 사회생활을 하더라도, 이런 고민을 공유할 수 있는 영웅을 찾지 못한 터였다. 그러던 때, 그녀를 만나게 되었다.

이 희곡을 번역하며 나의 영웅이 끝없이 고군분투 중임을 느꼈다. <그리하여 화살은 날아가고>는 사회에 대한 도전, 시대에 대한 도발이며 작가 자신에 대한 기록이다. 에스터는 단순한 메시지 전달을 넘어 혁신과 변화를 위해 분투하고 있었다. 이 과정에는 비난도 있었을 것이며 한계도 있었을 것이다. 그러나 그녀는 멈추지 않았다. 영웅은 계속해서 싸워나가기에 영웅이라 불린다.

한국은 더 이상 아시아에만 국한된 국가가 아니며 세계로 뻗어나가고 있다. 한국의 테크놀로지와 K-Pop, 우리 것을 세계화하려는 노력으로 전 세계의 사람들은 한국에 대해 인식하기 시작하고 있다. 그러나 이 희곡은 다른 관점에서 국제시대를 헤쳐 나가고 있는 한국인의 시대상을 그리고 있다. 세계 속 우리는 아직도 많은 부분에서 과거에 매여 있으며 풀지 못한 과제를 안은 채 미래를 맞이하고 있다. 에스터는 이 희곡을 통해 한국계 미국인뿐 아니라 새로운 시대를 맞이하고 있는 모든 인류를 위한 시사점을 던진다.

나의 영웅, 에스터 채의 뜻이 길이 펼쳐지기를 바란다.

2015년 여름
장수혜

공연 및 출판연혁

2015	대한민국 도서출판 동인 출판
2014	미국 NoPassport Press 출판
2012	미국 국회도서관(Library of Congress), 공연예술 극작가시리즈 소장
	대한민국 한국문화예술위원회, '국제공연예술전문가시리즈'
	미국 웨슬리 대학교
2010	이탈리아 'October Nights Theater' 축제
	미국 미시건대학교
	미국 아메리칸대학교, 세종소사이어티
	미국 베넷(Bennett) 미디어 스튜디오
	미국 체리레인 시어터(Cherrylane Theater)
2009	미국 와일디시 시어터(Wildish Theater)
	미국 뉴욕시립대학교, 마틴시걸 시어터
	미국 뉴욕대학교, 'Tuesday Night Forum'
	미국 보스턴 코트 공연예술센터 '아트토크(ARTTalk) 시리즈'
	미국 테드(TED) 컨퍼런스
2008	미국 뉴욕 'Ars Nova Theater 축제'
	대한민국 '세계여성포럼'
	스코틀랜드 '에든버러 프린지 축제'
	미국 데이비드 헨리황 시어터
2007	미국 'Estrogenious 축제'
	미국 아모리센터
2005	미국 '마크테이퍼 포럼', 솔로 퍼포먼스 워크숍

지은이 에스터 채(Esther K. Chae)

에스터 채(한글명: 채경주)는 각종 수상에 빛나는 배우이자 작가, TED 연구원이며, 현재 로스앤젤레스와 뉴욕에서 활동하고 있다. 에스터 채는 미국과 한국, 아일랜드, 호주, 캐나다, 이탈리아, 나이지리아, 러시아의 각종 매체와 무대에서 그녀의 작품을 선보인 바 있다. 기타 작품으로는 한국의 사물놀이가 소개되는 〈애리 인 어더랜드〉(*AE-RI IN OTHERLAND*), 부조리 인형극 〈딴 따딴!!!〉(*DDAN DDA DDAN!!!*) 등이 있다. 에스터 채는 한국에서 고려대학교를 졸업한 뒤, 미시건 대학교 연극석사, 예일대 드라마스쿨에서 연기실기석사를 수료했다. 또한 미시건 대학교 킹/차베즈/파크스(Martin Luther King, Jr./Cesar Chavez/Rosa Parks)의 방문교수직을 역임했으며 한국문화예술위원회의 초청 강연자로, 하버드 대학의 예술과 시민대화 인스티튜트 초청 예술가로 활동한 바 있다. 에스터 채는 오리건 주 유진에서 태어났으며 대한민국에서 성장했다. 그녀는 현재 남편 폴 본 질바우어(Paul von Zielbauer)와 캘리포니아 주 산타모니카에 거주하고 있다.

www.estherchae.com

옮긴이 장수혜

1994년부터 시작한 배우활동을 바탕으로 동국대 공연예술학부 입학, 동 대학교 영어통번역과를 졸업하고 〈태양의 서커스〉, 뮤지컬 〈미션〉, 국립극단 등의 내한공연에서 통번역 및 기획, 제작팀원으로 일한 바 있으며, 국제공연예술프로젝트(iPAP)에서 무용축제 기획 및 국제교류 업무를 했다. 현재 '책 누나프로젝트'의 대표로서 도서관에서 아이들에게 책을 읽어주는 프로그램을 진행하며 사회공헌활동을 펼치고 있다. 에스터 채와의 인연은 2012년 한국문화예술위원회 초청공연에서 자막번역 및 오퍼레이터를 맡으며 이어지게 되었다.

그리하여 화살은 날아가고 So the Arrow Flies

초판 발행일 2015년 8월 8일

지은이 에스터 채 ｜ 옮긴이 장수혜
아트디렉터 이보영
원서표지디자인 피야나리 레페브르 ｜ 원서편집디자인 박세영

발행인 이성모
발행처 도서출판 동인 ｜ 서울시 종로구 혜화로3길 5 118호
등 록 제1-1599호
TEL (02) 765-7145 / FAX (02) 765-7165
E-mail dongin60@chol.com
ISBN 978-89-5506-663-0
정가 10,000원

※ 잘못 만들어진 책은 바꾸어 드립니다.